# GENTE POBRE

# FIÓDOR DOSTOIÉVSKI

# GENTE POBRE

Tradução
Irineu Franco Perpetuo

Esta é uma publicação Principis, selo exclusivo da Ciranda Cultural
© 2021 Ciranda Cultural Editora e Distribuidora Ltda.

Traduzido do original em russo
Бедные люди

Texto
Fiódor Dostoiévski

Tradução
Irineu Franco Perpetuo

Preparação
Yuri Martins de Oliveira

Revisão
Fernanda R. Braga Simon

Produção editorial
Ciranda Cultural

Diagramação
Linea Editora

Design de capa
Ciranda Cultural

Imagens
Oleg Golovnev/Shutterstock.com;
Maisei Raman/Shutterstock.com;
fatihaydintr/Shutterstock.com

**Dados Internacionais de Catalogação na Publicação (CIP) de acordo com ISBD**

| | |
|---|---|
| D724g | Dostoiévski, Fiódor |
| | Gente pobre / Fiódor Dostoiévski ; traduzido por Irineu Franco Perpetuo. - Jandira, SP : Principis, 2021. 160 p. ; 15,5cm x 22,6cm. – (Clássicos da literatura mundial) |
| | Tradução de: Бедные люди ISBN: 978-65-5552-228-0 |
| | 1. Literatura russa. 2. Romance. I. Perpetuo, Irineu Franco. II. Título. III. Série. |
| 2020-2875 | CDD 891.73 CDU 821.161.1-3 |

**Elaborado por Vagner Rodolfo da Silva - CRB-8/9410**

**Índice para catálogo sistemático:**
1. Literatura russa : Romance 891.73
2. Literatura russa : Romance 821.161.1-3

1ª edição em 2021
www.cirandacultural.com.br
Todos os direitos reservados.
Nenhuma parte desta publicação pode ser reproduzida, arquivada em sistema de busca ou transmitida por qualquer meio, seja ele eletrônico, fotocópia, gravação ou outros, sem prévia autorização do detentor dos direitos, e não pode circular encadernada ou encapada de maneira distinta daquela em que foi publicada, ou sem que as mesmas condições sejam impostas aos compradores subsequentes.

*Ah, estou farto desses contadores de histórias! Não escrevem algo de útil, agradável, prazeroso, e ficam arrancando todos os podres da terra! Pois eu os proibiria de escrever! Ora, o que isso parece: você lê... fica matutando sem querer... e daí todo tipo de absurdo lhe passa pela cabeça; de verdade, eu os proibiria de escrever; sem mais nem menos, proibiria de uma vez.*

*Príncipe* V. F. Odóievski[1]

---

[1] Epígrafe tirada do conto "O morto vivo" (1839), de V. F. Odóievski (1804-1869). (N.E.)

*8 de abril*

Minha inestimável Varvara Aleksêievna!

    Ontem eu estava feliz, desmedidamente feliz, feliz a não mais poder! Pelo menos uma vez na vida, sua teimosa, a senhorita me escutou. À noite, oito horas, acordei (a senhorita sabe, minha querida, que gosto de dormir uma horinha depois do trabalho), peguei uma vela, preparei o papel, limpei a pena, de repente, por acaso, ergui os olhos, de verdade, meu coração deu um salto! Sem mais nem menos, a senhorita entendeu o que eu desejava, o que meu coraçãozinho desejava! Vi um cantinho da cortina da sua janela dobrado e preso no vaso de balsamina, bem do jeito que eu mencionara; imediatamente tive a impressão de que seu rostinho tremeluzia na janela, de que a senhorita me fitava do seu quarto e pensava em mim. E como fiquei chateado, minha pombinha, por não poder discernir direitinho seu rostinho gracioso! Houve um tempo em que eu também via com clareza, minha querida. A velhice não é divertida, minha cara! Agora mesmo meus olhos se turvam; basta trabalhar à noite, escrever algo, e de manhã os olhos ficam vermelhos, e as lágrimas jorram de um jeito que dá até vergonha na presença de estranhos. Contudo, em minha imaginação, seu sorrisinho cintilava tanto, meu anjinho, seu sorrisinho bonzinho, amável; e no meu coração havia exatamente a mesma sensação de quando eu a beijei, Várienka², lembra-se, anjinho? Sabe, minha pombinha, que tive até a impressão de que a senhorita me ameaçou com o dedinho? Como assim, sua levada? Escreva-me tudo isso em detalhes em sua carta, sem falta.

Bem, que tal nossa invenção referente à sua cortina, Várienka? Um primor, não é verdade? Posso estar trabalhando, ir dormir, acordar, e sei que a senhorita está pensando em mim, que está bem de saúde e alegre. Baixar a cortina quer dizer adeus, Makar Aleksêievitch, está na hora de dormir! Levantar quer dizer bom dia, Makar Aleksêievitch, dormiu bem, ou como está de saúde, Makar Aleksêievitch? No que toca a mim, eu, graças ao Criador, estou firme e forte de saúde! Veja, alma minha, como isso foi bem pensado; não precisa nem de carta! Ardiloso, não é verdade? E fui eu que inventei! E então, como estou me saindo nessas coisas, Varvara Aleksêievna?

Informo-lhe, minha querida Varvara Aleksêievna, que nesta noite dormi em ordem, contra as minhas expectativas, o que me deixa bastante satisfeito; embora em um apartamento novo, numa nova moradia, sempre se durma mal; sempre parece que tem algo fora do lugar! Hoje eu acordei como o falcão luminoso³, feliz e contente! Que manhã linda a de hoje, minha querida! Abri a janelinha de casa; o solzinho brilhava, os passarinhos gorjeavam, o vento soprava com os aromas da primavera, e toda a natureza se animava, bem, o resto também correspondia; tudo em ordem, tudo primaveril. Hoje até tive sonhos bem agradáveis, e todos os meus sonhos foram com a senhorita, Várienka.

---

² Diminutivo de Varvara. (N.T.)
³ O falcão luminoso é uma referência ao conto popular russo "A pluma de Fínist, o falcão". Fínist é um príncipe transformado em falcão que, com a ajuda de uma bondosa donzela, consegue retomar sua forma humana. (N.R)

Comparei-a ao passarinho dos céus, criado para consolo das gentes e embelezamento da natureza. Também pensei, Várienka, que nós, pessoas que vivem na inquietude e na aflição, devíamos igualmente invejar a felicidade despreocupada e inocente do passarinho dos céus, bem, e todo o resto era igual, nesse gênero; ou seja, fiquei fazendo comparações assim, afastadas. Tenho um livrinho, Várienka, que é igual, tudo está descrito de forma bastante detalhada. Escrevo isso para dizer que os sonhos são vários, querida. E agora é primavera, de modo que todos os pensamentos são muito agradáveis, espirituosos, requintados, e os sonhos são meigos; tudo é cor-de-rosa. Por isso escrevi isso tudo; aliás, peguei isso tudo do livrinho. Lá o autor manifesta o mesmo desejo em versos, e escreve:

– Por que não sou uma ave, uma ave de rapina?

E, etc. Ainda tem outros pensamentos, mas que fiquem com Deus! E para onde a senhorita foi hoje de manhã, Varvara Aleksêievna? Eu ainda não tinha saído para o serviço e a senhorita, como um verdadeiro pássaro da primavera, já saíra voando do quarto e passava muito alegrinha pelo pátio. Como fiquei alegre ao contemplá-la! Ah, Várienka, Várienka! Não fique triste; as lágrimas não ajudam contra o pesar; sei disso, minha querida, sei disso por experiência. Agora a senhorita está muito calma, e sua saúde melhorou um pouco. Bem, e a sua Fedora? Ah, que mulher boa! Escreva-me, Várienka, como está vivendo agora com ela, e se estão satisfeitas com tudo. Essa Fedora é um pouco rabugenta; mas não ligue para isso, Várienka. Que Deus a guarde! Ela é muito boa.

Já lhe escrevi a respeito da Teresa daqui, também é uma mulher boa e fiel. E eu já estava tão preocupado com nossas cartas! Como seriam entregues? Daí o Senhor mandou Teresa, para nossa felicidade. É uma mulher boa, dócil, taciturna. Mas a nossa patroa é simplesmente impiedosa. Faz dela um trapo, de tanto trabalho.

Mas em que cafundó eu fui parar, Varvara Aleksêievna! Que apartamento! Afinal, antes, como sabe, eu vivia como surdo; dava para ouvir até o voo das moscas. E aqui é barulho, grito, berreiro! Mas a senhorita ainda não sabe como tudo está organizado aqui. Imagine, por exemplo, um corredor comprido, totalmente escuro e imundo. À direita, há uma porta inteiriça e, à esquerda, há porta atrás de porta, estendendo-se em fileira, como quartos de hotel. Bem, alugam esses quartos, todos de aposento único; moram neles uma, duas, três pessoas. Não pergunte qual é a ordem, uma arca de Noé! Aliás, aparentemente, as pessoas são boas, todas muito instruídas, cultivadas. Há um funcionário (de alguma repartição literária), um homem lido: fala de Homero, de Brambéus[4], de diversos autores, fala de tudo, é um homem inteligente! Moram dois oficiais, e jogam cartas o tempo todo. Mora um aspirante da Marinha; mora um professor inglês. Espere que vou diverti-la, querida; em uma carta futura, vou descrevê-los de forma satírica, ou seja, como são, em todos os detalhes. A senhoria, uma velhota muito pequena e suja, fica o dia inteiro de chinelos e roupão, e grita o dia inteiro com Teresa. Moro na cozinha, ou seria bem mais justo dizer assim: ao lado da cozinha há um quarto (e nossa cozinha, devo observar, é limpa, clara, muito bonita), um quartinho pequeno, um cantinho tão acanhado... ou seja, ou dizendo ainda melhor, a cozinha é grande, com três janelas, e eu tenho um tabique junto à parede transversal, que resulta em mais um aposento, um quarto supranumerário; bastante espaçoso, confortável, tem janela e tudo, em suma, bem confortável. Bem, esse é o meu cantinho. Bem, mas não vá pensar, querida, que há algum sentido diferente e oculto; ora, é a cozinha! Ou seja, eu vivo mesmo nesse aposento detrás do tabique, mas

---

[4] Barão Brambéus, pseudônimo de O. I. Senkóvski (1800-1858), editor da revista *Biblioteca de Leitura*, cujos artigos e novelas fizeram dele o ídolo do funcionalismo e do público pouco instruído em geral. (N.E.)

isso não é nada; afastado de todos os palacetes, vivo na miúda, vivo na calada. Coloquei uma cama, uma mesa, uma cômoda, um par de cadeiras, pendurei um ícone. Verdade que há alojamentos melhores, talvez haja até bem melhores, mas o conforto é o principal; pois estou neste pelo conforto, não ache que é por outra coisa. Sua janelinha fica do lado oposto; o pátio é estreito, vejo-a de passagem, tudo deixa muito alegre este malfadado aqui, e é mais barato. Aqui, o último dos quartos, com a comida, custa trinta e cinco rublos em notas[5]. Não é para o meu bolso! O meu alojamento custa-me sete rublos em notas, mais cinco pela comida; são 24 e meio, enquanto antes pagava trinta, e renunciava a muita coisa; nem sempre tomava chá, e agora ganho chá e açúcar. Sabe, minha cara, não tomar chá dá uma certa vergonha; aqui todo mundo tem recursos, então dá vergonha. Você toma pelos outros, Várienka, pela aparência, pelo bom-tom; mas, para mim, dá na mesma, não sou caprichoso. Acrescente a isso um dinheiro no bolso, sempre precisa-se ter algum, bem, uns sapatinhos, umas roupinhas, sobra muito? E vai aí todo o meu ordenado. Não me queixo, e estou satisfeito. É suficiente. Já faz alguns anos que é suficiente; também há gratificações. Bem, adeus, meu anjinho. Comprei um par de vasos de balsamina e gerânio, não é caro. Mas talvez a senhorita goste de resedá? E resedá tem também, escreva; sim, sabe, escreva tudo o mais detalhado possível. Aliás, não pense nada e não duvide de mim, querida, por eu ter alugado um quarto desses. Não, foi o conforto que me obrigou, e só o conforto me seduziu. Querida, é que estou juntando dinheiro, guardando; arrumando um dinheirinho. Não ligue para eu ser tão fraquinho, por parecer que uma mosca me quebraria com sua asa. Não, querida, sou esperto, e o caráter é perfeitamente adequado a um homem decente, firme e de espírito sereno. Adeus, meu anjinho!

---

[5] Papel-moeda introduzido na Rússia em 1769 e trocado, em 1843, por bilhetes de crédito. Na década de 1830, um rublo em notas equivalia, pelo câmbio oficial, a 27 copeques de prata. (N.E.)

Quase enchi duas folhas de papel, e já passou muito da hora de ir para o serviço. Beijo-lhe os dedinhos, querida, e continuo

seu devotadíssimo criado e fidelíssimo amigo

*Makar Diévuchkin*

P.S.: peço uma coisa: responda, meu anjinho, o mais detalhado possível. Envio-lhe com esta, Várienka, uma librazinha de bombons; coma-os à vontade e, pelo amor de Deus, não se preocupe comigo, nem fique agastada. Bem, então adeus, querida.

*8 de abril*

Prezado senhor Makar Aleksêievitch!

Sabe que enfim tenho que brigar completamente com o senhor? Juro-lhe, meu bom Makar Aleksêievitch, que é até difícil para mim aceitar seus presentes. Eu sei o quanto eles lhe custam, que privações e renúncias ao que é indispensável para o senhor mesmo. Quantas vezes lhe disse que não preciso de nada, de absolutamente nada; que não tenho forças de recompensá-lo pelos favores dos quais me cobriu até agora. E o que vou fazer com esses vasos? Bem, as balsaminazinhas ainda não são nada, mas para que o gerânio? Basta dizer uma palavrinha descuidada, como por exemplo sobre este gerânio, e o senhor imediatamente compra; com certeza, custou caro, não? Que encanto de flores! Escarlate, com cruzinhas. Onde o senhor arrumou um gerânio tão bonitinho? Coloquei no meio da janela, no lugar mais visível; no chão vou colocar um banco e, no banco, mais flores; deixe apenas eu enriquecer! Fedora não cabe em si de contente; agora, temos algo como um paraíso no quarto, limpo, luminoso! Bem, e para que os bombons? Verdade que, pela carta, adivinhei imediatamente que algo no senhor não vai bem, paraíso, primavera, fragrâncias a voar, pássaros a gorjear. O que é isso, pensei, não tem versos também? Afinal, na verdade, só faltam versos na sua carta, Makar Aleksêievitch! Sensações meigas, sonhos cor-de-rosa, tem tudo aqui! Na cortina eu nem pensei: provavelmente prendeu-se sozinha quando eu estava mudando os vasos de lugar; foi isso!

Ah, Makar Aleksêievitch! Por mais que fale, por mais que calcule suas rendas para me enganar, para mostrar que todas vão apenas para o senhor, não consegue esconder nem ocultar nada de mim. Está claro que o senhor se priva do que é necessário por minha causa. Como foi ter a ideia, por exemplo, de alugar um apartamento desses? Afinal, aí o incomodam, perturbam; é apertado, desconfortável. O senhor ama a solidão e ninguém perto de si! E o senhor podia morar bem melhor, a julgar por seus vencimentos. Fedora diz que antes o senhor vivia incomparavelmente melhor do que agora. Por acaso vai passar toda a sua vida assim, em solidão, em privação, sem alegria, sem uma palavra amiga de saudação, alugando um canto entre gente estranha? Ah, bom amigo, como tenho pena do senhor! Cuide pelo menos de sua saúde, Makar Aleksêievitch! O senhor diz que sua vista está enfraquecendo, então não escreva à luz de velas; para que escrever? Mesmo sem isso, seu zelo ao serviço já é provavelmente conhecido dos seus chefes.

Mais uma vez lhe imploro, não gaste tanto dinheiro comigo. Sei que gosta de mim, mas o senhor não é rico... Hoje também acordei alegre. Eu estava tão bem; Fedora já trabalhava há tempos e conseguiu trabalho também para mim. Fiquei muito contente; saí só para comprar seda e me pus a trabalhar. Passei a manhã inteira com a alma tão leve, estava tão alegre! E agora voltam todos os pensamentos negros, é triste; todo o coração padece.

Ah, o que será de mim, qual será meu destino? É duro estar em tamanha incerteza, não ter futuro, não poder sequer prever o que será de mim. Também é medonho olhar para trás. Lá o pesar é tamanho que o coração arrebenta por completo só de lembrar. Para sempre me queixarei das pessoas cruéis que me arruinaram!

Cai a tarde. Está na hora de trabalhar. Queria escrever-lhe muito, mas não tenho tempo, o trabalho urge. Tenho que me apressar. Claro que carta é uma coisa boa; tudo fica menos chato. Mas por que o senhor nunca vem aqui? Para que isso, Makar Aleksêievitch? Afinal, agora o senhor está perto, e às vezes arruma tempo livre. Venha, por favor! Vi a sua Teresa. Ela parece muito doente; fiquei com dó dela; dei-lhe vinte copeques. Sim! Estava quase esquecendo: escreva sem falta, o mais detalhado possível, sobre o seu dia a dia. Quem são as pessoas ao seu redor, e se convive bem com elas. Tenho muita vontade de saber isso tudo. Olhe lá, escreva sem falta! Hoje vou dobrar a ponta da cortina de propósito. Vá deitar mais cedo; ontem vi sua luz acesa até a meia-noite. Bem, adeus. Hoje tenho angústia, tédio e tristeza! Sabe, um dia daqueles! Adeus.

Sua

*Varvara Dobrossiólova*

*8 de abril*

Prezada senhorita Varvara Aleksêievna!

Sim, querida, sim, minha cara, foi mais um diazinho daqueles na minha sina malfadada! Sim; a senhorita, Varvara Aleksêievna, zombou de mim, um velho! Aliás, a culpa é minha, toda minha! Nos anos de velhice, com uns fiapos de cabelo, não devia me jogar em amores e equívocos... E digo mais, querida: o homem às vezes é esquisito, muito esquisito. E por todos os santos! De que se põe a falar, por vezes! E no que resulta, qual a consequência disso? Não tem nenhuma consequência, mas resulta em tamanha asneira que Deus me livre! Eu, querida, eu não me zango, só que é um desgosto tão grande me lembrar disso, um desgosto por ter-lhe escrito de forma tão figurada e tola. Hoje também fui para o serviço todo pimpão; tinha uma auréola no coração. Sem mais nem menos, minha alma estava em festa; estava alegre! Lancei-me aos papéis com diligência, mas qual foi depois o resultado disso? Depois, assim que olhei ao redor, tudo ficou como antes, cinzento e escuro. As mesmas manchas de tinta, as mesmas mesas e papéis, e eu também era o mesmo; continuava exatamente o mesmo que era então para que cavalgara Pégaso? De onde veio isso tudo? De o solzinho sair e o céu estar azul! Será que foi disso? E que história é essa de aromas, quando, debaixo das janelas do nosso pátio, tem cada coisa! Quer dizer que tive toda essa impressão de tonto que sou. Mas, às vezes, acontece de uma pessoa se deixar levar pelos próprios sentimentos ao ponto de proferir disparates. Isso só decorre de um ardor de coração excessivo, estúpido. Não caminhei para casa, arrastei-me; sem mais nem menos, minha cabeça doía; quer dizer, fui de mal a pior. (Acho que peguei uma friagem nas costas.) Bobo dos bobos, fiquei contente com a primavera, e saí com um capote leve. Quanto aos meus sentimentos, enganou-se, minha cara! Levou o desafogo deles para o lado completamente oposto. Foi a afeição paterna que me inspirou, apenas a pura afeição paterna, Varvara Aleksêievna; pois cumpro o papel de seu pai, devido à sua amargura de ser órfã; falo isso de coração, de coração puro, como um parente. Afinal, seja como for, sou seu parente distante, parente por parte de Adão e Eva, como diz o ditado, mas mesmo assim parente, e agora o parente mais próximo, e protetor; pois lá onde, mais do que tudo, tinha direito a procurar proteção e defesa, a senhorita encontrou traição e ofensa. Quanto aos versinhos, digo-lhe, querida, que é indecoroso para mim, na velhice, exercitar-me na composição de versos. Versos são bobagem! Agora, nas escolas, açoitam as crianças por causa de versos... Veja o que é, minha cara.

O que a senhorita me escreve, Varvara Aleksêievna, sobre conforto, sossego e diversas coisas? Minha querida, não sou resmungão nem exigente, nunca vivi melhor do que agora; por que ficaria caprichoso na velhice? Estou alimentado, vestido, calçado; então por que inventar manhas? Não sou filho de conde! Meu pai não era de estirpe nobre e, com toda a família, era mais pobre de renda do que eu. Não sou um efeminado! Aliás, para falar a verdade, no meu apartamento antigo tudo era incomparavelmente melhor; era mais amplo, querida. Claro que meu alojamento de agora também é bom, até em alguns aspectos mais alegre e, se quiser, mais variado; não direi nada contra, mas lamento pelo antigo. Nós, pessoas velhas, ou seja, de idade, nos acostumamos às coisas velhas como a um ente querido. O apartamentozinho era bem pequeno, sabe? As paredes eram... Bem, para que dizer? As paredes eram como todas as paredes, a questão não é essa, mas toda lembrança do passado me dá uma angústia... Coisa estranha: é duro, mas as lembranças parecem agradáveis. Mesmo o que era ruim, o que vez por outra me agastava, até isso, na lembrança, se livra do que é ruim e se apresenta em minha imaginação sob um aspecto atraente. Vivíamos em paz, Várienka; eu e minha senhoria, uma velha, finada. Agora recordo com sentimento triste até a minha velha! Era uma mulher boa, não cobrava caro pelo apartamento. Com farrapos diversos, ficava o tempo todo tricotando mantas com agulhas de um *archin*[6]; só se ocupava

---
[6] Antiga medida de comprimento russa equivalente a, aproximadamente, 71 cm. (N.T.)

disso. Compartilhávamos a mesma luz, pois trabalhávamos à mesma mesa. Sua neta era a Macha, lembro-me dela ainda bebê, agora deve ser uma menina de treze anos. Era tão travessa, alegrinha, sempre nos divertia; vivíamos assim, a três. Nas longas noites de inverno, acontecia de nos sentarmos à mesa redonda, tomarmos o chá e depois nos metermos a trabalhar. E a velha, para que Macha não ficasse chateada e não começasse com travessuras, começava a narrar contos de fada. E que contos eram! Não só uma criança, mas também um homem inteligente e sábio podia escutar. O quê! Acontecia de eu mesmo fumar meu cachimbo e escutar, esquecendo meus afazeres. E nossa criança travessa ficava pensativa; apoiava o rostinho rosado na mãozinha, abria a bela boquinha e, se o conto desse medo, apertava-se, apertava-se muito contra a velha. E dava gosto olhar para ela; não víamos a vela terminar de arder, não ouvíamos a nevasca por vezes esbravejar no pátio e a neve cair. Vivíamos bem, Várienka; e assim passamos juntos quase vinte anos. Mas para que essa tagarelice? Talvez esse tema não lhe agrade, e não é fácil para mim me lembrar disso, particularmente agora, na hora do crepúsculo. Teresa está fazendo alguma coisa, minha cabeça dói, as costas também doem um pouco, e os pensamentos estão muito esquisitos, como se também doessem; hoje estou triste, Várienka! O que é isso que escreveu, minha cara? Como vou até aí? Minha pombinha, o que as pessoas vão dizer? Afinal, terei que atravessar o pátio, os nossos vão reparar, começarão a perguntar, correrão boatos, correrão fofocas, darão um outro sentido ao assunto. Não, meu anjinho, melhor vê-la amanhã, nas vésperas; será mais razoável e inofensivo para nós dois. Não me leve a mal, querida, por ter-lhe escrito uma carta dessas; ao reler, vi que tudo é muito incoerente. Várienka, sou um velho sem instrução; não estudei quando jovem, e agora não me entrará nada na cabeça se recomeçar a estudar. Reconheço, querida, que não sou um mestre da descrição, e sei, sem ninguém apontar e caçoar, que, se quiser escrever algo mais engenhoso, pronunciarei asneiras. Vi-a hoje à janela, vi como baixou as corrediças. Adeus, adeus, que o Senhor a guarde! Adeus, Varvara Aleksêievna.

Seu amigo desinteressado

*Makar Diévuchkin*

P.S.: Eu, minha cara, agora não vou satirizar ninguém. Fiquei velho demais, querida Varvara Aleksêievna, para arreganhar os dentes em vão! E vão rir de mim, segundo o ditado russo, que diz que quem cava a cova para outro... acaba lá dentro.

*9 de abril*

Prezado senhor Makar Aleksêievitch!

Ora, como não tem vergonha, meu amigo e protetor Makar Aleksêievitch, de me embromar e vir com tanta choradeira. Por acaso se ofendeu? Ah, frequentemente sou descuidada, mas não achava que o senhor tomaria minhas palavras por uma piada mordaz. Fique seguro de que jamais ousarei brincar com sua idade e seu caráter. Tudo isso decorre do meu estouvamento, mais ainda porque estou terrivelmente entediada, e no que a gente não se mete por tédio? Até achei que o senhor queria rir com a sua carta. Fiquei terrivelmente triste ao ver que estava insatisfeito comigo. Não, meu bom amigo e protetor, o senhor está enganado se me suspeitar de insensibilidade e ingratidão. Sei valorizar em meu coração tudo o que o senhor fez por mim, defendendo-me de gente má, de sua perseguição e inveja. Sempre orarei a Deus pelo senhor, e, se minha oração chegar a Deus e o céu lhe der atenção, o senhor será feliz.

Hoje me sinto muito mal de saúde. Calor e calafrio se alternam em mim. Fedora está muito preocupada comigo. Sua vergonha por vir até aqui é descabida, Makar Aleksêievitch. Que importam os outros? O senhor me conhece e tenho dito! Adeus, Makar Aleksêievitch. Não tenho mais o que escrever, nem consigo; estou terrivelmente mal de saúde. Peço-lhe mais uma vez que não se zangue comigo, e fique seguro quanto ao respeito eterno e à afeição com a qual tenho a honra de ser a mais devotada

e sua mais dócil criada

*Varvara Dobrossiólova*

*12 de abril*

Prezada senhorita Varvara Aleksêievna!

Ah, minha querida, o que tem? Pois toda vez me assusta. Escrevo-lhe em toda carta que se cuide, que se agasalhe, que não saia no mau tempo, que observe todos os cuidados, e a senhorita, meu anjinho, não me dá ouvidos. Ah, minha pombinha, parece uma criança! Afinal, a senhorita é fraquinha, fraquinha como uma palha, eu sei. Basta uma brisinha e já fica de cama. Então deve se precaver, cuidar de si mesma, evitar os perigos e não deixar seus amigos pesarosos e desolados.

A senhorita manifestou o desejo, querida, de conhecer em detalhes meu dia a dia e todos que me rodeiam. Apresso-me em satisfazer seu desejo com alegria, minha cara. Começarei pelo começo, querida: será mais ordenado. Em primeiro lugar, em nossa casa, na entrada da frente, as escadas são bem razoáveis; a principal, especialmente, é limpa, iluminada, larga, toda em ferro fundido e mogno. Em compensação, nem pergunte da de serviço: em espiral, úmida, suja, degraus quebrados, e paredes tão ensebadas que a mão escorrega ao se apoiar. Em cada patamar há baús, cadeiras e armários quebrados, trapos pendurados, janelas partidas; tinas com todo tipo de imundície, sujeira, lixo, cascas de ovos, bexigas de peixes; cheira mal... Em suma, não é bom.

Já lhe descrevi a disposição dos quartos; sobre isso não há o que dizer, verdade que é cômoda, mas algo abafada, ou seja, não é que cheire mal, mas, se posso me exprimir assim, exala um odor algo corrompido, penetrante e adocicado. Na primeira vez, a impressão é desfavorável, mas isso não é nada; basta ficar conosco por dois minutos e passa, e você não sente, como tudo passa, porque você mesma vai cheirar mal, a roupa vai feder, as mãos vão feder, tudo vai feder. Pois bem, você se acostuma. Aqui, os pintassilgos morrem. O aspirante da Marinha já comprou cinco, eles não sobrevivem no nosso ar, só isso. Nossa cozinha é grande, espaçosa, clara. Verdade que de manhã fica um pouco enfumarada quando fritam peixe ou carne, e derramam e jogam água por todo lado; em compensação, à tarde é um paraíso. Nos varais da nossa cozinha sempre tem roupa íntima velha pendurada; e como meu quarto não é longe, ou seja, está praticamente grudado na cozinha, o cheiro da roupa me incomoda um pouco; mas não é nada; você se acostuma.

Desde de manhã bem cedo, Várienka, começa a algazarra, acordam, andam, batem, todos se levantam, os que precisam ir para o serviço, ou os que estão por conta própria; todos começam a tomar chá. Aqui os samovares são da senhoria, em sua maior parte, e são poucos, de modo que fazemos fila; e quem fica fora da fila com a chaleira logo leva água na cabeça. Foi o que me aconteceu da primeira vez, sim... Aliás, para que escrever isso? Conheço todo mundo aqui. O aspirante da Marinha foi o primeiro que conheci; muito franco, contou-me tudo sobre seu paizinho, sua mãezinha, sua irmãzinha, casada com um assessor de Tula, e sobre a cidade de Kronstadt. Prometeu me proteger de tudo, e logo me convidou para tomar chá com ele. Encontrei-o no mesmo quarto em que habitualmente jogam cartas. Lá, deram-me chá e quiseram sem falta que eu participasse de um jogo de azar. Não sei se zombavam ou não de mim; apenas passaram a noite inteira, de cabo a rabo, jogando, e, quando eu entrei, também estavam jogando. Giz, cartas, uma fumaça tamanha pairava por todo o quarto, devorando os olhos. Não me pus a jogar, e logo fizeram a observação de que eu falava de filosofia. Depois, ninguém mais falou comigo, o tempo inteiro; na verdade, fiquei feliz com isso. Agora não os visito; têm uma excitação, pura excitação! O funcionário da repartição literária também dá reuniões à noite. Mas com ele tudo é bom, contido, inocente e delicado; tudo com ar fino.

Bem, Várienka, observo-lhe ainda de passagem que nossa senhoria é uma mulher repugnante, e, além disso, uma verdadeira bruxa. A senhorita viu Teresa. Bem, como ela é de verdade? Magra, como um frango depenado, mirrado. Os criados da casa são dois: Teresa e Faldoni[7], servo da senhoria. Não sei, talvez ele tenha outro nome, só que atende por esse; todos o chamam assim. Ele é ruivo, uma espécie de finlandês, zarolho, de nariz arrebitado, brutamontes: ralha o tempo todo com Teresa, por pouco não se engalfinham. Falando em geral, não é nada bom para mim morar aqui... Se pelo menos todos passassem a noite dormindo,

---

[7] Nomes dos infelizes amantes do romance sentimental *Teresa e Faldoni, ou Cartas de dois amantes moradores de Lyon* (1783), traduzido para o russo em 1804 e 1816. Popular no final do século XVIII e início do XIX, o romance foi escrito pelo francês Nicolas-Germain Léonard (1744-1793), nascido em Guadalupe (Antilhas). (N.E.)

sossegados, isso nunca acontece. Sempre tem alguém jogando em algum lugar, e passam-se coisas que é vexatório contar. Agora estou acostumado de algum jeito, mas me espanto por gente de família conviver com tamanha Sodoma. Toda uma família de coitados aluga um quarto da nossa senhoria, só que não fica junto aos outros, mas do outro lado, em um canto, separado. Gente pacífica! Não se ouve nada deles. Moram em um quartinho, onde puseram um tabique. Trata-se de um funcionário sem emprego, foi excluído do serviço há sete anos por algum motivo. Seu sobrenome é Gorchkov; muito grisalho, pequeno; anda com uma roupa tão sebenta, tão surrada, que dói na vista; pior ainda do que a minha! Tão mísero, tão doentio (às vezes encontro-o no corredor); seus joelhos tremem, as mãos tremem, a cabeça treme, sabe Deus de que doença; tímido, tem medo de todos, anda meio de lado; se por vezes sou acanhado, ele é ainda pior. Sua família é a mulher e três filhos. O mais velho, o menino, é a cara do pai, também muito doentio. A mulher não foi feia em alguma época, hoje ainda dá para notar; a coitada anda com uns farrapos míseros. Ouvi dizer que devem à senhoria; ela não é muito carinhosa com eles. Também ouvi que aconteceram a Gorchkov umas coisas desagradáveis, por causa das quais ele foi privado de seu posto... Se houve processo, se foi a julgamento, se houve algum inquérito, o que foi, não posso lhe dizer realmente. São uns coitados, uns coitados, Senhor meu Deus! Seu quarto está sempre calmo e silencioso, como se não morasse ninguém. Não se ouvem nem as crianças. Não acontece de às vezes as crianças correrem, brincarem, e isso é um mau sinal. Certa vez, à noite, ocorreu-me de alguma forma de passar junto à sua porta; nessa hora, fazia na casa um silêncio raro; ouvi um soluço, depois um sussurro, depois novamente um soluço, como se estivessem chorando, mas tão baixo, tão mísero, que meu coração arrebentou, e depois o pensamento nesses coitados não me largou a noite inteira, de modo que não consegui dormir bem.

## Gente pobre

Bem, adeus, Várienka, minha amiguinha inestimável! Descrevi-lhe tudo, como consegui. Hoje só pensei na senhorita, o dia inteiro. Estou com o coração apertado por sua causa, minha cara. Pois, minha alma, eu sei que a senhorita não tem casaco quente. Todas essas primaveras petersburguenses, os ventos com chuviscos e neves, são a minha morte, Várienka! Guarde-me destes ares beatíficos, Senhor! Não me leve a mal pela escrita, minha alma; não tem estilo, Várienka, não tem estilo nenhum. Se pelo menos tivesse algum! Escrevo o que me vem à mente, só para contentá-la de alguma forma. Afinal, se eu tivesse estudado de algum jeito, seria outra coisa; como é que haveria de estudar? Sem nem um tostão furado.

Seu amigo eterno e fiel

*Makar Diévuchkin*

*25 de abril*

Prezado senhor Makar Aleksêievitch!

Hoje encontrei minha prima Sacha[8]! Um horror! Também vai se arruinar, coitada! Também ouvi indiretamente que Anna Fiódorovna anda averiguando tudo a meu respeito. Ao que parece, ela nunca vai parar de me perseguir. Ela diz que quer *perdoar-me*, esquecer todo o passado, e que vem me visitar sem falta. Diz que o senhor não é meu

---
[8] Diminutivo de Aleksandra. (N.T.)

parente de jeito nenhum, que ela é minha parente mais próxima, que o senhor não tem nenhum direito de se intrometer em nossas relações familiares e que é vergonhoso e indecente eu viver da sua misericórdia e sustento... Diz que eu me esqueci do pão e do sal[9] dela, que ela talvez tenha impedido mamãe e eu de morrermos de fome, que nos deu de comer e de beber e por mais de dois anos e meio, teve prejuízo conosco, e que ainda por cima perdoou essa dívida. Não quis poupar nem mamãe! E se minha pobre mãe soubesse o que eles fizeram comigo! Deus está vendo! Anna Fiódorovna diz que eu não soube manter minha felicidade por estupidez, que ela me conduziu à felicidade, que ela não é culpada de nada mais, e que eu que não soube defender minha honra, e talvez não tenha querido. E de quem é a culpa, grande Deus? Ela diz que o senhor Býkov está absolutamente certo, e que não pode se casar com qualquer uma que... Mas o que escrever? É cruel ouvir uma mentira dessas, Makar Aleksêievitch! Não sei o que será de mim agora. Eu tremo, choro, soluço; levei duas horas escrevendo-lhe essa carta. Achei que ela pelo menos reconheceria sua culpa diante de mim; mas veja isso agora! Pelo amor de Deus, não se atormente, meu amigo, o único que me quer bem. Fedora está exagerando: não estou doente. Apenas me resfriei um pouco ontem, quando fui a Vólkovo para a missa pela alma de mamãe. Por que o senhor não foi comigo? Eu pedi tanto. Ah, mamãe, minha pobre mãe, se você se levantasse da tumba, se você soubesse, se você visse o que fizeram comigo!...

*V. D.*

---

[9] Na Rússia, a oferta de pão e sal é sinal de hospitalidade. (N.T.)

# Gente pobre

*20 de maio*

Minha pombinha Várienka!

    Envio-lhe umas uvas, minha alma; dizem que é bom para a convalescença, e o doutor recomenda para aplacar a sede, então é apenas para aplacar a sede. A senhorita queria umas rosas outro dia, querida; então as estou mandando agora. Tem apetite, minha alma? Isso é o principal. Aliás, graças a Deus que tudo passou e acabou, e que nossas desgraças também terminaram completamente. Demos graças aos céus! No que se refere a livros, até agora não consegui encontrar em nenhum lugar. Dizem que aqui tem um livro bom, escrito em estilo bem elevado; dizem que é bom, eu não li, mas elogiam muito por aqui. Pedi para mim; prometeram me enviar. Só que a senhorita vai ler? Com respeito a isso, para mim a senhora é caprichosa; é difícil adivinhar seu gosto, mas eu a conheço, minha pombinha; com certeza aprecia todo tipo de poesia, de suspiros, de amores, pois bem, também vou conseguir versos, vou conseguir tudo; lá tem um caderninho copiado.
    Eu vivo bem. Querida, não se preocupe comigo, por favor. E o que Fedora lhe contou a meu respeito, é tudo absurdo; diga-lhe que ela mentiu, diga sem falta a essa fofoqueira!... Não vendi o uniforme novo de jeito nenhum. E por que é, julgue a senhorita mesma, por que é que venderia? Se dizem que vai sair uma gratificação de quarenta rublos de prata para mim, então por que vender? Não se preocupe, querida; é uma desconfiada, essa Fedora, uma desconfiada. Começaremos uma nova vida, minha pombinha! Apenas sare, anjinho, sare, pelo amor de Deus, não aflija um velho. Quem lhe disse que eu emagreci? Calúnia, outra calúnia! Estou absolutamente saudável e engordei tanto que voltarei a ficar com vergonha, estou saciado e farto; só você precisa sarar!

Bem, adeus, meu anjinho; beijo todos os seus dedinhos e continuo seu amigo eterno e constante

*Makar Diévuchkin*

P.S.: ah, minha alma, o que é mesmo isso que você voltou a me escrever? Que despautério é esse? Como posso visitá-la com tanta frequência, querida, como? Estou perguntando. Se desse para aproveitar a escuridão da noite: mas agora quase não temos noites: o tempo está assim[10]. Querida, meu anjo, quase não a abandonei durante toda a sua doença, durante a sua inconsciência; mas eu mesmo não sei como arranjei tudo isso; e depois parei de ir; pois começaram a ficar curiosos e a perguntar. Aqui já fazem fofoca sem isso. Tenho esperança em Teresa; ela não é tagarela; mas julgue, mesmo assim, querida, o que será quando eles ficarem sabendo de tudo a nosso respeito? O que vão pensar, e o que dirão então? De modo que fortaleça o coração, querida, e espere até sarar; depois marcaremos um *rendez-vous*[11] fora de casa, em algum lugar.

*1º de junho*

Caríssimo Makar Aleksêievitch!

Tinha tanta vontade de fazer algo proveitoso e agradável pelo senhor, devido a todos os seus cuidados e sofrimentos comigo, devido a

---

[10] Alusão às noites brancas de São Petersburgo. (N.T.)
[11] "Encontro" em francês. (N.T.)

todo o seu amor por mim, que finalmente decidi, por tédio, remexer na minha cômoda e procurar meu caderno, que agora lhe envio. Comecei-o ainda na época feliz de minha vida. O senhor frequentemente me interrogou com curiosidade sobre meu dia a dia de antes, sobre mamãe, sobre Pokróvski, sobre minha estadia na casa de Anna Fiódorovna e, por fim, sobre as desgraças recentes, e queria tão impacientemente ler este caderno, onde inventei, Deus sabe por quê, de registrar alguns momentos de minha vida, que não duvido lhe propiciar grande satisfação com o meu envio. Para mim, foi algo triste reler isso. Tenho a impressão de ter envelhecido em dobro desde que redigi a última linha dessas notas. Tudo isso foi escrito em intervalos diferentes. Adeus, Makar Aleksêievitch! Agora estou terrivelmente entediada e sou frequentemente atormentada pela insônia. Que convalescença mais chata!

*V. D.*

# I

Eu tinha apenas catorze anos quando papai morreu. A infância foi a época mais feliz de minha vida. Ela não começou aqui, mas longe, na província, num fim de mundo. Papai era o administrador da enorme propriedade do príncipe P*, na província de T*. Morávamos em uma das aldeias do príncipe e vivíamos de forma tranquila, silenciosa, feliz... Eu era uma pequena muito sapeca; fazia e acontecia, corria pelos campos, pelos bosques, pelo jardim, e ninguém ligava. Papai estava incessantemente ocupado com os negócios, mamãe ocupava-se da casa; ninguém me dava aulas, e eu estava contente com isso. De manhã cedinho eu corria para a represa, ou para o bosque, ou para o capinzal, ou para os ceifeiros, e tanto fazia se o sol queimava, se saía correndo sozinha do povoado sem saber para onde, se me arranhava nos arbustos, se rasgava o vestido; depois ralhavam comigo em casa, mas para mim dava na mesma.

Tenho a impressão de que seria igualmente feliz se me tivesse acontecido de não sair da aldeia a vida inteira e morar sempre no mesmo lugar. Contudo, ainda criança fui forçada a abandonar meus lugares queridos. Eu ainda tinha apenas doze anos quando nos mudamos para São Petersburgo. Ah, com que tristeza me lembro de nossos lúgubres preparativos! Como eu chorava ao me despedir de todos, o que seria de mim? Lembro-me de me jogar no pescoço de papai e implorar, com lágrimas, para ficar na aldeia nem que fosse mais um pouquinho. Papai gritou comigo, mamãe chorou; disse que era necessário, que os negócios exigiam. O velho príncipe P* morrera. Os herdeiros dispensaram mamãe do serviço. Papai tinha um dinheiro investido com particulares em São Petersburgo. Esperando melhorar sua condição, considerava indispensável sua presença pessoal aqui. Tudo isso eu fiquei sabendo depois, por mamãe. Aqui nos instalamos em Peterbúrgskaia Storoná[12], e vivemos no mesmo lugar até o falecimento de papai.

Como foi duro me adaptar à nova vida! Chegamos a São Petersburgo no outono. Quando deixamos a aldeia, fazia um dia muito claro, quente, radiante; os trabalhos no campo haviam terminado; nas eiras cobertas já estavam empilhadas medas enormes de cereal, e bandos de pássaros se amontoavam, gritando; tudo estava muito claro e alegre, mas aqui, à nossa entrada na cidade, era chuva, escarcha podre de outono, tempo ruim, chuvoso, e uma multidão de rostos novos, desconhecidos, inóspitos, insatisfeitos, zangados! Ajeitamo-nos de alguma forma. Lembro-me de que todos viviam atarefados em casa, sempre ocupados, provendo a nova moradia. Papai nunca estava em casa, e mamãe não tinha um minuto de sossego, esqueceram-me por completo. Foi triste acordar de manhã, após a primeira noite na nova residência. Nossas janelas davam para uma cerca amarela. Na rua, havia sujeira o tempo todo. Os transeuntes eram raros e todos tão agasalhados, com tanto frio.

E, em casa, era uma angústia e um tédio terrível o dia inteiro. Quase não tínhamos parentes e conhecidos próximos. Papai estava brigado

---

[12] Região de São Petersburgo, atualmente chamada Petrográdskaia Storoná. (N.T.)

com Anna Fiódorovna. (Devia-lhe algo.) Pessoas vinham a negócios com bastante frequência. Normalmente brigavam, faziam escândalo, gritavam. Depois de cada visita, papai ficava muito insatisfeito, zangado; por horas inteiras, andava de um canto para o outro, carrancudo, sem proferir palavra a ninguém. Nessa hora, mamãe não ousava falar com ele e ficava calada. Eu me sentava em algum cantinho, com um livrinho, quieta, silenciosa, sem ousar me mexer.

Passados três meses de nossa chegada a Petersburgo, colocaram-me num internato. Como foi triste, no início, estar entre pessoas estranhas! Tudo era tão seco, pouco acolhedor, as preceptoras eram tão gritonas, as moças tão zombeteiras, e eu tão selvagem. Era tudo tão severo, exigente! Hora marcada para tudo, mesa comunitária, professores chatos, no começo, tudo isso me torturava, martirizava. Não conseguia nem dormir lá. Acontecia de chorar a noite inteira, a noite longa, tediosa, fria. À tarde, todas repetiam ou estudavam as lições; eu ficava sozinha com os diálogos e vocabulários em francês, não ousava me mover, mas pensava o tempo todo em nosso canto, em casa, em papai, em mamãe, em minha velha aia, nas histórias da aia... Ah, que tristeza! Lembrava-me com satisfação da coisinha mais boba de casa. Pensava e repensava: como seria bom estar agora em casa! Estaria sentada em nossa salinha pequena, junto ao samovar, com os nossos; tudo tão quente, bom, conhecido. Pensava em como abraçaria agora mamãe, bem apertado, bem quente! Pensava, repensava e me punha a chorar baixinho de angústia, afogando as lágrimas no peito, e o vocabulário não entrava na cabeça. Assim, no dia seguinte, não aprendia a lição; sonhava a noite inteira com o professor, com a madame, com as moças; repetia a lição a noite inteira, no sonho, mas no outro dia não sabia nada. Colocavam-me de joelhos, davam-me apenas uma refeição. Eu estava tão descontente, entediada. No começo, todas as moças riam-se de mim, provocavam-me, cutucavam-me quando eu dizia as lições, beliscavam-me quando íamos em fila para o almoço ou para o chá, queixavam-se de mim à preceptora por nada. Em compensação, que paraíso quando a aia vinha me visitar no sábado à tarde. Daí eu abraçava minha velhota com alegria frenética. Ela me vestia, agasalhava, não conseguia me acompanhar no caminho, e eu tagarelava, tagarelava, contava tudo. Eu chegava em casa feliz, contente, abraçava apertado os de casa, como após uma separação de dez anos. Começavam os boatos, as conversas, as narrativas; cumprimentava todo mundo, ria, gargalhava, corria, saltitava. Com papai, começavam conversas sérias, sobre ciências, sobre nossos professores, sobre a língua francesa, sobre a gramática de Lhomond[13], e todos estávamos tão alegres, tão satisfeitos. Mesmo agora fico feliz ao recordar esses momentos. Com todas as forças empenhava-me em aprender e satisfazer papai. Eu via que ele me entregava os últimos recursos que tinha, e sabe Deus como arranjava para si mesmo. A cada dia ficava cada vez mais sombrio, insatisfeito, zangado; seu caráter estragara-se por completo: os negócios não davam certo, as dívidas eram a perder de vista. Mamãe tinha medo até de chorar, a palavra é essa, medo, para não zangar papai; ficou muito doente; só emagrecia, emagrecia, e começou a tossir muito. Eu chegava do internato, e todas as caras estavam tristes; mamãe chorava baixinho, papai se zangava. Começavam as recriminações, os reproches. Papai começava a dizer que eu não lhe dava nenhuma alegria, nenhum consolo; que eles se privavam dos últimos recursos que tinham por minha causa, e que eu até então não falava francês; em uma palavra, todos os fracassos, todas as desgraças, tudo, tudo era descarregado em cima de mim e de mamãe. E como era possível atormentar a pobre mamãe? Ao olhar para ela, o coração partia: suas faces encovavam, os olhos afundavam, o rosto tinha uma cor muito tísica. Eu sofria mais do que todos. Sempre começava com ninharias e depois sabe Deus

---

[13] Charles François Lhamond (1727-1794), abade, filólogo, historiador, escritor e pedagogo francês, foi autor de diversas obras de gramática e história. (N.T.)

a que chegava; frequentemente eu sequer entendia qual era a questão. Pelo que não me cobrava?.. Pelo francês, por eu ser muito burra, por a proprietária do nosso internato ser uma negligente, uma estúpida; por ela não se ocupar de nossa moral; por papai não ter conseguido encontrar emprego até então, e por a gramática de Lhomond ser ruim, e a de Zapólski[14] muito melhor; por jogarem muito dinheiro fora por minha causa; por eu ser evidentemente uma insensível, um coração de pedra, em suma, pobre de mim, que lutava com todas as forças repetindo os diálogos e vocabulários, e era culpada de tudo, respondia por tudo! E isso não era em absoluto porque papai não me amava: ele amava mamãe e a mim desbragadamente. Mas era assim, seu temperamento era esse.

As preocupações, as mágoas, os fracassos atormentaram extremamente o pobre papai; ele se tornou desconfiado, bilioso; estava frequentemente perto do desespero, pôs-se a desprezar a saúde, resfriou-se e de repente adoeceu, padeceu por pouco tempo e finou-se tão repentinamente, tão subitamente, que todos nós ficamos alguns dias perturbados com o golpe. Mamãe caiu em torpor; cheguei a temer por sua razão. Bastou papai falecer e os credores apareceram em nossa casa, como se brotassem do solo, irrompendo em bando. Entregamos tudo que tínhamos. Nossa casinha em Peterbúrgskaia Storoná, que papai comprara meio ano após nossa mudança para São Petersburgo, também foi vendida. Não sei como resolveram o resto, mas nós ficamos sem teto, sem refúgio, sem comida. Mamãe padecia de uma doença consuptiva, não tínhamos como nos alimentar, não havia como viver, a ruína estava à nossa frente. Eu acabara de completar catorze anos. E eis que Anna Fiódorovna nos visitou. Ela sempre diz que é dona de terras e nossa parente. Mamãe também dizia que ela era nossa parente, só que muito distante. Durante a vida de papai, ela nunca veio. Apareceu

---

[14] Vassíli I. Zapólski (1776-1837), escritor russo e tradutor de francês. (N.T.)

com lágrimas nos olhos, falou que tinha muito interesse em nós; compadecia-se de nossa perda, de nossa situação funesta, acrescentando que papai era culpado: que vivera acima de suas posses, que quisera ir longe demais e tivera esperança excessiva nas próprias forças. Manifestou o desejo de se aproximar de nós, propôs esquecermos reciprocamente as controvérsias; e, quando mamãe afirmou que jamais lhe sentira hostilidade, ela se debulhou em lágrimas, levou mamãe à igreja e encomendou uma missa pela alma do pombinho (assim designou papai). Depois disso, reconciliou-se solenemente com mamãe.

Após longos preâmbulos e advertências, Anna Fiódorovna, retratando em cores vivas o funesto de nossa situação, a orfandade, o desespero, o desamparo, convidou-nos, em suas palavras, a nos asilarmos em sua casa. Mamãe agradeceu, mas ficou um bom tempo sem decidir; porém como não havia o que fazer, nem era possível resolver de outra forma, por fim afirmou à Anna Fiódorovna que aceitávamos sua proposta com gratidão. Como me lembro agora da manhã em que nos mudamos de Peterbúrgskaia Storoná para a Ilha Vassílievski. Era uma manhã clara, seca, fria de outono. Mamãe chorava; eu estava terrivelmente triste; meu peito desatou em pranto, a alma penava com uma angústia indizível, pavorosa... Era uma época dura.

# 2

No começo, enquanto nós, ou seja, eu e mamãe, não nos habituávamos à nossa nova morada, sentíamo-nos um pouco horrorizadas, assustadas na residência de Anna Fiódorovna. Anna Fiódorovna vivia em uma casa própria, na Sexta Linha[15]. Ao todo, na casa havia cinco aposentos. Em três deles, moravam Anna Fiódorovna e minha prima, Sacha, que ela criava, uma criança órfã, sem pai nem mãe. Depois, em um quarto morávamos nós e, por fim, no último, ao nosso lado, alojava-se um estudante pobre, Pokróvski, inquilino de Anna Fiódorovna. Anna Fiódorovna vivia muito bem, de forma mais opulenta do que seria de se supor; mas sua fortuna era enigmática, assim como sua atividade. Estava sempre atarefada, sempre preocupada, entrava e saía algumas vezes por dia; mas o que ela fazia, com o que se preocupava e por que se preocupava, eu nunca consegui adivinhar. Tinha muitos e diversos conhecidos. Recebia visitas o tempo todo, e essa gente, Deus sabe qual era, sempre vinha a negócios, e por alguns minutos. Mamãe sempre me levava ao nosso quarto assim que a sineta soava. Anna Fiódorovna ficava

---
[15] Rua de pedestres na Ilha Vassílievski. (N. T.)

terrivelmente zangada com mamãe por isso, e repetia incessantemente que éramos orgulhosas demais, que não podíamos ser orgulhosas, que ainda haveria do que nos orgulharmos, e não se calava por horas inteiras. Naquela época eu não entendia essas recriminações ao orgulho; assim como só agora sei, ou pelo menos adivinhei, por que mamãe não se decidia a morar com Anna Fiódorovna. Anna Fiódorovna era uma mulher má; atormentava-nos incessantemente. Até agora é um mistério para mim por que exatamente ela nos convidou à sua casa. No começo, era bastante amável conosco, mas, depois, já manifestou seu caráter verdadeiro por inteiro, ao ver que éramos completamente desamparadas e não tínhamos para onde ir. Em seguida, tornou-se bastante amável comigo, amável de um jeito até rude, até lisonjeiro, mas no começo eu tinha que suportar o mesmo que mamãe. Ela nos recriminava constantemente; só fazia repetir os favores que nos prestava. Apresentava-nos aos estranhos como suas parentes pobres, uma viúva e uma órfã desamparadas, que ela, por misericórdia, por amor cristão, asilara em sua casa. À mesa, acompanhava com os olhos cada bocado que pegávamos e, se não comêssemos, recomeçava a história; dizia que nós estávamos desdenhando; dizia: "queiram me desculpar, gostaria que fosse melhor"; dizia que na nossa casa devia ser mais saboroso. Repreendia papai constantemente: dizia que quisera ser melhor do que os outros, mas que saíra pior; que abandonara mulher e filha no mundo e que, se não tivessem encontrado uma parente benfeitora, uma alma cristã, compassiva, sabe Deus o que teria acontecido, talvez tivéssemos perecido de fome no meio da rua. O que ela não dizia! Ouvi-la era não apenas amargo, como repulsivo. Mamãe chorava constantemente; sua saúde piorava dia a dia, definhava visivelmente, e, enquanto isso, trabalhávamos da manhã até à noite, conseguíamos trabalho sob encomenda, costurávamos, o que desagradava muito a Anna Fiódorovna; ela dizia sempre que sua casa não era ateliê de moda. Mas precisávamos nos vestir, precisávamos guardar para despesas imprevistas, precisávamos ter nosso dinheiro, impreterivelmente. Juntávamos para qualquer eventualidade, esperávamos, com o tempo, poder nos mudar. Mamãe, porém, perdia o fim de sua saúde no trabalho: enfraquecia a cada dia. A doença, como um verme, roía visivelmente sua vida e aproximava-a da tumba. Eu via tudo, sentia tudo, padecia tudo; tudo isso diante dos meus olhos!

Dias sucediam dias, e cada dia era semelhante ao anterior. Vivíamos em sossego, como se nem estivéssemos na cidade. Anna Fiódorovna acalmava-se aos poucos, à medida que reconhecia plenamente seu domínio. Aliás, nunca alguém sequer pensou em contradizê-la. Em nosso quarto, estávamos separadas dela por meio corredor, e ao nosso lado, como já mencionei, morava Pokróvski. Ensinava a Sacha francês, alemão, história, geografia, todas as ciências, como dizia Anna Fiódorovna, e recebia por isso alojamento e comida; Sacha era uma menina bastante esperta, embora sapeca e travessa; estava então com treze anos. Anna Fiódorovna observou à mamãe que não seria mal se eu começasse a estudar, já que no internato não terminaram minha educação. Mamãe concordou com alegria, e estudei com Sacha e Pokróvski um ano inteiro.

Pokróvski era um jovem pobre, muito pobre; sua saúde não lhe permitia sair constantemente para ter aulas, e apenas por hábito o chamávamos de estudante. Vivia de forma modesta, pacífica, silenciosa, de modo que não o ouvíamos de nosso quarto. De aspecto era muito estranho; andava de forma tão desajeitada, cumprimentava de forma tão desajeitada, falava tão esquisito que inicialmente eu não conseguia olhar para ele sem rir. Sacha frequentemente aprontava para ele, especialmente quando nos dava aulas. E ele, ademais, era de caráter irritadiço, zangava-se sem parar, por qualquer ninharia, ficava fora de si, gritava conosco, queixava-se de nós e frequentemente saía bravo de nosso quarto, sem terminar a lição. Passava dias inteiros em seu quarto, com livros. Tinha muitos livros, livros bem caros e raros. Lecionava em outro lugar e recebia pagamento, de modo que mal entrava dinheiro e ele imediatamente ia comprar livros.

Com o tempo, conheci-o melhor, mais de perto. Era um homem excelente, muito digno, melhor do que todos que conheci. Mamãe respeitava-o bastante. Mais tarde, tornou-se meu melhor amigo, depois de mamãe, evidentemente.

No começo, eu, uma menina tão grande, aprontava junto com Sacha, e ficávamos horas inteiras quebrando a cabeça para irritá-lo e fazê-lo perder a paciência. Ele se zangava de um modo terrivelmente ridículo, e isso nos divertia muito. (Tenho vergonha até de me lembrar disso.) Certa vez, o irritamos quase a ponto de ele chegar às lágrimas, e eu o ouvi com clareza sussurrar: "Crianças más". De repente, fiquei desconcertada: senti vergonha, amargor e pena dele. Lembro-me de que corei até as orelhas e quase com lágrimas nos olhos comecei a pedir que se acalmasse e não se ofendesse com nossas travessuras estúpidas, mas ele fechou o livro, não terminou a aula e foi para o seu quarto. Berrei o dia inteiro de arrependimento. A ideia de que nós, crianças, com nossa crueldade, o leváramos às lágrimas era-me insuportável. Ou seja, esperávamos suas lágrimas. Ou seja, nós as desejávamos; ou seja, conseguíramos esgotar sua paciência; ou seja, obrigamos à força que ele, um desgraçado, um pobre, se lembrasse de sua sina atroz! Fiquei a noite inteira sem dormir de desgosto, de tristeza, de arrependimento. Dizem que o arrependimento alivia a alma; pelo contrário. Não sei como o amor-próprio se imiscuiu ao meu pesar. Não queria ser considerada uma criança. Já tinha então quinze anos.

Desde esse dia, comecei a atormentar minha imaginação, elaborando milhares de planos para de alguma forma fazer Pokróvski de repente mudar sua opinião a meu respeito. Mas, naquela época, eu era tímida e acanhada; na situação em que estava, não conseguia de jeito nenhum me decidir, limitando-me apenas a sonho (e Deus sabe que sonhos!). Apenas parei de aprontar com Sacha; ele parou de se zangar conosco; mas, para meu amor-próprio, isso era pouco.

Agora direi algumas palavras sobre a mais estranha, curiosa e lastimável pessoa que já me aconteceu de conhecer. Estou falando dela agora, exatamente neste lugar de minhas memórias, porque até essa época eu quase não prestara nenhuma atenção nela, até que tudo que se referia a Pokróvski passou de repente a me interessar!

Em nossa casa aparecia às vezes um velhote sujo, malvestido, pequeno, grisalho, desajeitado, canhestro, em suma, estranho a não mais poder. Ao primeiro olhar, dava para pensar que ele parecia se envergonhar de algo, embaraçar-se consigo mesmo. Por isso estava sempre se encolhendo de alguma forma, retorcendo-se; seus modos e trejeitos eram tais que dava para concluir, quase sem se enganar, que ele não estava em seu juízo. Vinha à nossa casa e parava na porta de vidro, sem ousar entrar. Quando um de nós passava por ele, eu, Sacha ou um criado que ele sabia ser mais benevolente consigo, daí ele acenava, gesticulava, fazia diversos sinais, e só quando você lhe inclinava a cabeça e o chamava, o sinal convencional de que não havia nenhum estranho em casa e de que ele poderia entrar quando quisesse, só então o velho abria a porta em silêncio. Sorrindo contente, esfregava as mãos de satisfação e ia direto, na ponta dos pés, para o quarto de Pokróvski. Era seu pai.

Depois fiquei sabendo em detalhes toda a história daquele pobre velho. Trabalhara certa época em algum lugar, era desprovido das menores capacidades e ocupara o último e mais insignificante dos postos no serviço. Quando morreu sua primeira esposa (a mãe do estudante Pokróvski), inventou de se casar pela segunda vez e casou-se com uma pequeno-burguesa. A nova esposa colocou a casa de cabeça para baixo; apoquentava todo mundo; tomou as rédeas de tudo. O estudante Pokróvski era então ainda uma criança de dez anos. A madrasta o odiava. Mas o pequeno Pokróvski foi agraciado pelo destino. O proprietário de terras Býkov, que conhecia o funcionário Pokróvski e fora seu benfeitor, tomou o menino sob sua proteção e o matriculou em uma escola. Interessara-se por ele porque conhecera sua falecida mãe, que ainda moça merecera os favores de Anna Fiódorovna e fora entregue por ela em matrimônio ao funcionário Pokróvski. O senhor Býkov, conhecido e amigo íntimo de Anna Fiódorovna, movido pela generosidade, ofertara cinco mil rublos de dote à noiva. Para onde foi esse dinheiro, não se sabe. Foi Anna Fiódorovna quem me contou isso tudo; o estudante Pokróvski nunca gostou de falar de suas condições familiares. Dizem que sua mãe era muito bonita, e acho estranho ela ter feito um casamento tão fracassado, com um homem tão insignificante... Ela morreu ainda jovem, quatro anos após o matrimônio.

Da escola, Pokróvski entrou em um ginásio e, depois, na universidade. O senhor Býkov vinha com bastante frequência a São Petersburgo e não o deixava sem proteção. Em razão da saúde precária, Pokróvski não pôde prosseguir seus afazeres na universidade. O senhor Býkov apresentou-o a Anna Fiódorovna, recomendou-o em pessoa e, desta forma, o jovem Pokróvski foi aceito em troca de pão, com a condição de ensinar a Sacha tudo que fosse requerido.

Já o velho Pokróvski, pesaroso com a crueldade da esposa, entregou-se ao pior dos vícios e quase sempre se encontrava em estado de embriaguez. A esposa batia nele, expulsou-o para morar na cozinha e chegou ao ponto em que ele por fim acostumou-se à surra e aos maus--tratos e não se queixava. Ele ainda não era muito velho, mas, por causa dos maus hábitos, quase perdera a razão. O único sinal de sentimento humano nobre era seu amor ilimitado pelo filho. Dizem que o jovem Pokróvski e a finada mãe eram parecidos como duas gotas de água. Teria sido a lembrança da boa esposa anterior a fazer brotar no coração do velho arruinado um amor tão desenfreado por ele? O velho não conseguia sequer falar em nada que não fosse o filho e frequentemente o visitava, duas vezes por semana. Não ousava vir mais porque o jovem Pokróvski não podia suportar as visitas do pai. De todos os seus defeitos, indiscutivelmente, o primeiro e mais importante era a falta de respeito pelo pai. Aliás, o velho era por vezes a criatura mais insuportável do mundo. Em primeiro lugar, era terrivelmente curioso, em segundo, atrapalhava constantemente as ocupações do filho com conversas e perguntas, das mais ocas e atoleimadas, e, por fim, às vezes chegava em estado de embriaguez. O filho aos poucos afastou o pai dos vícios, da curiosidade e da tagarelice incessante e por fim chegou ao ponto em que este lhe dava ouvidos em tudo, como a um oráculo, e não ousava abrir a boca sem a sua permissão.

O pobre velho não se cansava de se admirar e se alegrar com seu Pétienka[16] (como chamava o filho). Quando vinha visitá-lo, quase sempre assumia um ar preocupado, tímido, provavelmente por não saber como o filho o receberia, normalmente ficava muito tempo sem se decidir a entrar e, se eu estivesse por lá, interrogava-me por vinte minutos: como estava Pétienka? Bem de saúde? Qual era exatamente seu estado de espírito, não estava ocupado com algo importante? O que exatamente estava fazendo? Estava escrevendo ou ocupado em reflexões? Quando eu o tinha incentivado e tranquilizado o suficiente, o velho finalmente decidia-se a entrar e, bem em silêncio, bem cuidadosamente, abria a porta, enfiava primeiro só a cabeça e, se via que o filho não estava zangado e meneava-lhe a cabeça, então entrava de mansinho no quarto, tirava seu pequeno capote, o chapéu, que sempre estava amarrotado, esburacado, com as abas soltas, pendurava tudo em um gancho, fazendo tudo em silêncio, de forma inaudível; depois sentava-se em algum lugar, cuidadosamente, em uma cadeira, e não tirava os olhos do filho, captava todos os seus movimentos, desejando adivinhar o estado de espírito de seu Pétienka. Se o filho não estava de muito bom humor, e o velho notava, imediatamente levantava-se do lugar e explicava "bem, Pétienka, é só um minutinho. Andei bastante, estava passando em frente, e vim descansar". E depois, dócil e sem ruído, pegava o capotezinho, o chapeuzinho, voltava a abrir a porta em silêncio e saía, sorrindo forçado para reprimir na alma o pesar acumulado e não o manifestar ao filho.

---

[16] Diminutivo de Piotr. (N.T.)

Mas, quando acontecia de o filho receber bem o pai, o velho não cabia em si de felicidade. A satisfação exibia-se em seu rosto, em seus gestos, em seus movimentos. Se o filho lhe falava, o velho sempre se erguia um pouco da cadeira e respondia baixo, servil, quase com veneração, e sempre se esforçava para empregar as expressões mais seletas, ou seja, as mais ridículas. Mas não fora agraciado com o dom da palavra: sempre se atrapalhava e se assustava, não sabia onde enfiar as mãos, onde se enfiar, e, depois de sua resposta, ficava murmurando longamente, como se desejasse se corrigir. Porém, se conseguisse responder bem, o velho se empetecava, arrumava o colete, a gravata, o fraque e assumia um ar de dignidade pessoal. E acontecia de se animar tanto a ponto de levar sua ousadia a se erguer em silêncio da cadeira, aproximar-se da prateleira de livros, retirar um livrinho e ler algo ali mesmo, qualquer livro que fosse. Fazia tudo isso com um ar fingido de indiferença e sangue-frio, como se sempre pudesse lidar assim com os livros do filho, como se o afeto do filho não fosse uma coisa rara. Ocorreu-me, porém, uma vez de ver como o coitado assustou-se quando Pokróvski lhe pediu que não tocasse nos livros. Ficou embaraçado, apressadamente colocou o livro de cabeça para baixo, depois quis corrigir, voltou e colocou com a lombada para fora, sorrindo, corando e sem saber como reparar seu crime. Com seus conselhos, Pokróvski afastou o velho um pouco dos maus hábitos, e, assim que o viu abstêmio três vezes seguidas, deu-lhe na primeira visita, à despedida, uma moeda de vinte e cinco copeques, depois uma de cinquenta, ou até mais. Às vezes comprava-lhe botas, uma gravata ou um colete. Daí o velho, de roupa nova, ficava orgulhoso como um galo. Às vezes vinha até nós. Trazia para mim e para Sacha galinhos de pão de mel, maçãs, e falava conosco de Pétienka. Pedia que estudássemos com atenção, que lhe déssemos ouvidos, dizia que Pétienka era um filho bom, um filho exemplar e, ademais, um filho culto. Então ele piscava o olho esquerdo de modo tão ridículo, curvava-se de forma tão divertida, que não conseguíamos conter o riso e gargalhávamos dele de coração.

Mamãe gostava muito dele. Mas o velho odiava Anna Fiódorovna, embora, na frente dela, não chiasse nem piasse.

Logo parei de ter aulas com Pokróvski. Ele me considerava, como antes, uma criança, uma menina travessa, do mesmo nível de Sacha. Isso me doía muito, pois me empenhava com todas as forças em remediar minha conduta anterior. Mas ele não reparava em mim. Isso irritava-me cada vez mais. Eu quase nunca falava com Pokróvski fora das aulas e nem conseguia falar. Eu corava, atrapalhava-me e depois ia chorar em algum cantinho, de desgosto.

Não sei como tudo isso teria terminado se uma circunstância estranha não tivesse contribuído para nossa aproximação. Certa noite, quando mamãe estava com Anna Fiódorovna, entrei de mansinho no quarto de Pokróvski. Sabia que ele não estava em casa e, na verdade, não sei de onde tirei a ideia de ir a seu quarto. Até então eu nunca nem sequer olhara para ele, embora vivêssemos lado a lado já há mais de um ano. Dessa vez, meu coração batia tão forte, tão forte que parecia querer saltar do peito. Olhei ao redor com curiosidade especial. O quarto de Pokróvski estava decorado de forma bastante pobre; havia pouca ordem. Nas paredes, cinco prateleiras longas de livros. Papéis jaziam na mesa e nas cadeiras. Livros e papéis! Ocorreu-me uma ideia estranha e, ao mesmo tempo, um sentimento desagradável de desgosto apossou-se de mim. Tive a impressão de que minha amizade e meu coração amoroso eram pouco para ele. Ele era culto, e eu, uma completa tapada, que não sabia de nada, não lera nada, nenhum livro... Daí fitei com ódio as prateleiras longas, que se curvavam sob os livros. Fui tomada pelo desgosto, angústia, por uma espécie de ira. Tive uma vontade e decidi ler ali mesmo seus livros, do primeiro ao último, e o mais rápido possível. Não sei, talvez eu achasse que, se aprendesse tudo que ele sabia, seria digna de sua amizade. Atirei-me à primeira prateleira; sem pensar, sem me deter, agarrei o primeiro volume velho e empoeirado e, corando, empalidecendo, tremendo de nervosismo e medo, levei o livro furtado, decidida a lê-lo à noite, à noitinha, quando mamãe estivesse adormecida.

Mas como fiquei agastada ao chegar em nosso quarto, abrir o livro apressadamente e ver uma obra latina velha, meio deteriorada, toda carcomida de traças! Virei-me, sem perder tempo. Bem quando eu queria colocar o livro na prateleira, ouviu-se um barulho no corredor e passos se aproximando. Açodei-me, apressei-me, mas o livro intragável estivera tão apertado na fileira que, quando eu o tirei, todos os restantes se espalharam e se esparramaram, de modo que agora não havia mais lugar para seu antigo camarada. Não tinha forças para enfiá-lo de volta. Contudo, empurrei os livros o mais forte que pude. O prego enferrujado em que a prateleira estava apoiada parecia esperar de propósito por esse instante para quebrar, e quebrou. Uma ponta da prateleira veio abaixo. Os livros tombaram no chão com estrondo. A porta se abriu, e Pokróvski entrou no quarto.

É preciso notar que ele não podia suportar quando alguém agia a bel-prazer em seus domínios. Ai de quem tocasse em seus livros! Julguem então meu horror quando os livros, pequenos, grandes, de todos os formatos possíveis, de todos os tamanhos e espessuras possíveis, desabaram da estante, saíram voando, saltitando para debaixo da mesa, das cadeiras, pelo quarto todo. Eu quis correr, mas era tarde. "Acabou, pensei, eu! Estou perdida, acabada! Estou brincando, aprontando, como uma criança de dez anos; sou uma menininha tonta! Sou uma grande estúpida!" Pokróvski ficou terrivelmente zangado. "Pois bem, era só o que faltava!", gritou. "Ora, não tem vergonha dessa travessura? Vai acalmar o facho algum dia?", e pôs-se a apanhar os livros. Quis me curvar para ajudá-lo. "Não precisa, não precisa", gritou. "Seria melhor se não viesse aqui quando não é solicitada." Todavia, algo aplacado por meu gesto de submissão, prosseguiu, mais calmo, em seu recente tom professoral, desfrutando do recente direito de educador: "Bem, quando vai criar juízo, quando vai cair em si? Pois olhe para si mesma, não é mais uma criança, não é mais uma menina pequena, a senhorita já tem quinze anos!". Então, provavelmente desejando verificar se eu não era mesmo mais pequena, olhou para mim e ficou corado até as orelhas. Não entendi: postei-me diante dele e encarei-o de olhos arregalados, pasmada. Ele soergueu-se, aproximou-se de mim com ar embaraçado, ficou terrivelmente atrapalhado, proferiu algo, aparentemente desculpando-se por alguma coisa, talvez por só agora ter reparado que eu era uma moça tão grande. Por fim eu entendi. Não me lembro do que se passou comigo: fiquei embaraçada, desconcertada, corei ainda mais do que Pokróvski, cobri o rosto com as mãos e saí correndo do quarto.

Eu não sabia o que me restava fazer, onde me enfiar de vergonha. Pois ele me surpreendera em seu quarto! Não consegui olhar para ele durante três dias inteiros. Eu enrubescia até as lágrimas. Os mais estranhos pensamentos, pensamentos ridículos, rodopiavam em minha cabeça. Um deles, o mais estrambótico, era que queria ir até ele, explicar-me, admitir tudo, contar-lhe tudo francamente e assegurar-lhe que não me comportara como uma menina tola, mas com boa intenção. Por fim, decidi-me por completo a ir até ele, mas, graças a Deus, faltou-me ousadia. Imagino o que eu teria feito! Mesmo agora me envergonho ao me lembrar disso tudo.

Alguns dias depois, mamãe de repente ficou doente, de maneira perigosa. Já há dois dias não se levantava da cama e, na terceira noite, estava febril e delirante. Eu já não dormira na primeira noite, velando por ela, sentada junto a seu leito, levando-lhe bebida e ministrando-lhe o remédio na hora marcada. Na segunda noite, eu estava completamente extenuada. De tempos em tempos, o sono me tomava, a vista escurecia, a cabeça girava, e a cada minuto estava prestes a desfalecer de fadiga, mas os gemidos débeis de mamãe me acordavam, eu me sobressaltava, despertava por um momento, depois a sonolência voltava a me dominar. Eu sofria. Não sei, não consigo me recordar, mas um sonho horrível, uma visão terrível visitou minha cabeça abalada no tortuoso instante de luta entre sono e vigília. Acordei mortificada. O quarto estava escuro, a lâmpada de cabeceira apagara, feixes de luz ora irradiavam de repente por todo o quarto, ora cintilavam de leve nas paredes, ora desapareciam por completo. Fiquei com medo, o horror se abateu sobre mim; minha imaginação ficara sobressaltada com o sonho horrível; a angústia golpeava-me o coração... Pulei da cadeira e, sem querer, gritei, devido a uma sensação aflitiva, terrivelmente penosa. Nessa hora, a porta se abriu, e Pokróvski entrou em nosso quarto.

Lembro-me apenas de ter despertado em seus braços. Ele me acomodou cuidadosamente em uma poltrona, deu-me um copo de água e me encheu de perguntas. Não lembro o que lhe respondi. "A senhorita está doente, a senhorita está muito doente", ele disse, tomando-me a mão. "Está com febre, está se arruinando, não está cuidando da própria saúde; sossegue, deite, durma. Vou acordá-la em duas horas, sossegue um pouco... Deite-se, deite-se!", prosseguiu, não me permitindo proferir uma palavra que fosse de réplica. O cansaço levara minhas últimas forças; meus olhos se fecharam de fraqueza. Deitei-me na poltrona, decidida a cochilar apenas por meia hora, e dormi até o amanhecer. Pokróvski só me acordou na hora de dar o remédio à mamãe.

No dia seguinte, quando eu, tendo descansado um pouco de dia, preparava-me novamente para me sentar na poltrona, junto ao leito de mamãe, firmemente decidida a não adormecer desta vez, Pokróvski entrou em nosso quarto às onze horas. Eu abri. "Sozinha, vai se entediar", ele me disse. "Este livro é para a senhorita; tome; assim não será tão chato". Peguei; não lembro que livro era; mal dei uma olhada nele, embora tivesse passado a noite inteira sem dormir. Uma estranha agitação interior não me deixava mais dormir; não conseguia ficar parada no lugar; levantei-me da poltrona algumas vezes e me pus a caminhar pelo quarto. Uma satisfação interior transbordava por todo o meu ser. Estava tão contente com a atenção de Pokróvski. Orgulhava-me de sua preocupação e cuidados comigo. Passei a noite inteira pensando e sonhando. Pokróvski não veio mais; e eu sabia que não viria, e conjecturava sobre a noite futura.

Na noite seguinte, quando todos em casa já estavam deitados, Pokróvski abriu sua porta e pôs-se a conversar comigo, parado na soleira de seu quarto. Agora não me lembro de nenhuma palavra que dissemos um ao outro; lembro apenas que me acanhei, atrapalhei-me, fiquei agastada comigo mesma e esperava com impaciência o fim da conversa, embora a tivesse desejado com todas as forças, sonhado com ela o dia inteiro e formulado perguntas e respostas... Esse encontro foi o ponto de partida de nossa amizade. Durante todo o período da doença da mamãe, passávamos algumas horas juntos toda noite. Aos poucos, venci minha timidez, embora depois de cada uma de nossas conversas ainda tivesse motivo para me agastar comigo mesma. Aliás, via com alegria secreta e satisfação orgulhosa que, por minha causa, ele esquecia seus livros intragáveis. Casualmente, de brincadeira, certa vez, nossa conversa foi parar na queda da prateleira. Foi um momento estranho, de alguma forma fui franca e sincera *demais;* um ardor, uma exaltação estranha me arrebatou e eu admiti tudo... Que queria aprender, saber algo, que ficava agastada por ser considerada uma menina, uma criança... Repito que me encontrava em um estado de espírito estranhíssimo; meu coração amolecera, eu tinha lágrimas nos olhos, não escondi nada e lhe contei tudo, tudo: minha amizade por ele, meu desejo de amá-lo, de sermos um só coração, de confortá-lo, de tranquilizá-lo. Ele me fitou de modo estranho, com perplexidade, pasmo, e não proferiu palavra. De repente, fiquei terrivelmente doída, triste. Pareceu-me que ele não me entendia, que talvez risse de mim. De repente, pus-me a chorar como uma criança, soluçava, não conseguia me conter; como se estivesse tendo um ataque. Ele tomou minhas mãos, beijou-as, estreitou-as contra o peito, tranquilizou-me, consolou-me; estava fortemente tocado; não me lembro do que ele me disse, mas eu só fazia chorar, e rir, e voltar a chorar, e a corar, sem poder pronunciar uma palavra de felicidade. Aliás, apesar de minha agitação, notei que restavam em Pokróvski um certo embaraço e constrangimento. Aparentemente, não cansava de admirar meu arrebatamento, meu enlevo, uma amizade tão repentina, ardente, inflamada. Pode ser que, no começo, ele achasse aquilo apenas curioso; a seguir, sua indecisão desapareceu, e ele, com o mesmo sentimento simples e direto que o meu, aceitou meu apego por ele, minhas palavras afáveis, minha atenção e respondeu a isso tudo com a mesma atenção, a mesma amabilidade e afabilidade, como um amigo sincero, como um irmão de sangue. Meu coração ficou tão quente, tão bom!... Eu não ocultava, não escondia nada: ele via isso tudo, e a cada dia ligava-se cada vez mais a mim.

E, de verdade, não me lembro do que não falei com ele nessas horas a um só tempo aflitivas e doces de nossos encontros, à noite, à luz trêmula da lâmpada votiva e quase na cama de minha pobre mamãe doente... De tudo que nos passava pela cabeça, que afluía do coração, que calhava dizer, e éramos quase felizes... Oh, foi uma época triste e alegre, tudo junto; e agora sinto-me triste e alegre ao recordá-la. As lembranças, alegres ou amargas, sempre são aflitivas; pelo menos para mim; mas mesmo essa aflição é doce. E quando o coração fica pesado, doído, pesaroso, triste, as lembranças o refrescam e avivam, como gotas de orvalho em uma noite úmida, depois de um dia triste, refrescam e avivam a flor pálida e murcha que queimou com o calor diurno.

Mamãe restabeleceu-se, mas eu ainda continuava a passar a noite sentada junto à sua cama. Pokróvski frequentemente dava-me livros; eu lia, inicialmente para não adormecer, depois com mais atenção, depois com avidez; diante de mim abria-se repentinamente muita coisa nova, até então inaudita, desconhecida. Novas ideias, novas impressões, em torrente caudalosa inundaram de súbito meu coração. E quanto mais agitação, quanto mais perplexidade e trabalho me dava a obtenção de novas impressões, mais queridas elas me eram, com mais doçura abalavam-me a alma. De uma vez, de repente, atropelaram-se em meu coração, sem lhe dar descanso. Um caos estranho pôs-se a sublevar todo o meu ser. Mas essa violência espiritual não podia e não tinha forças para me transtornar por completo. Eu era sonhadora demais, e isso me salvou.

 Quando a doença de mamãe terminou, nossas entrevistas noturnas e longas conversas interromperam-se; conseguíamos às vezes trocar umas palavras, frequentemente vazias e insignificantes, mas eu gostava de atribuir a todas um significado, um valor especial, subentendido. Minha vida era plena, eu era feliz, tranquilamente, silenciosamente feliz. Assim passaram algumas semanas...

 Certa vez, o velho Pokróvski veio nos fazer uma visita. Tagarelou longamente conosco, não como de costume. Estava estranhamente alegre, mais do que de costume, animado, falante; ria, fazia suas piadas e, por fim, decifrou o enigma de sua agitação e nos explicou que exatamente em uma semana seria o aniversário de Pétienka, e que, nesta ocasião, visitaria o filho sem falta; que trajaria um colete novo, e que a esposa prometera comprar-lhe botas novas. Em suma, o velho estava absolutamente feliz e tagarelava sobre tudo que lhe vinha à mente.

 Seu aniversário! Esse aniversário não me dava trégua nem de dia, nem de noite. Decidi lembrar Pokróvski sem falta de nossa amizade e dar-lhe algum presente. Mas o quê? Por fim, inventei de dar-lhe um livro. Sei que ele tinha a vontade de possuir as obras completas de Púchkin, na última edição, e resolvi comprar Púchkin. Eu tinha trinta rublos de dinheiro próprio, ganhos com meu bordado. Tinha separado esse dinheiro para um vestido novo. Logo mandei nossa cozinheira, a velha Matriona, apurar quanto custava todo Púchkin. Uma desgraça! O preço de todos os onze livros, incluindo os gastos de encadernação, era pelo menos sessenta rublos. Onde arrumar o dinheiro? Pensei, repensei e não sabia o que decidir. Não tinha vontade de pedir à mamãe. Claro que mamãe me ajudaria sem falta; mas então todos na casa saberiam do meu presente; e, além disso, esse presente se transformaria em agradecimento, em pagamento pelo ano inteiro de trabalhos de Pokróvski. Queria presenteá-lo sozinha, às escondidas de todos. Por seus trabalhos, eu queria ser-lhe devedora para sempre, sem nenhum pagamento além da minha amizade. Por fim, pensei como sair da dificuldade.

Eu sabia que era possível comprar dos alfarrabistas do Gostíny Dvor[17], às vezes, pela metade do preço um livro frequentemente pouco usado e quase completamente novo, bastava pechinchar. Considerava indispensável ir ao Gostíny Dvor. E assim foi: no dia seguinte, verificou-se que nós e Anna Fiódorovna precisávamos de algo. Mamãe não estava bem de saúde, Anna Fiódorovna tinha muita preguiça disso, de modo que coube a mim me encarregar de todas as incumbências, e fui com Matriona.

Para minha felicidade, encontrei Púchkin bem rápido, em uma encadernação bem bonita. Comecei a pechinchar. Primeiro, pediram mais caro que na loja; mas depois, aliás, não sem dificuldades, tendo ido embora algumas vezes, convenci o negociante a baixar o preço e limitar sua exigência a apenas dez rublos de prata. Como foi divertido pechinchar!.. A pobre Matriona não entendia o que se passava comigo e por que eu inventara de comprar tantos livros. Mas que horror! Todo o meu capital eram trinta rublos em cédulas, e o negociante não concordava de jeito nenhum em ceder ainda mais. Por fim, pus-me a suplicar, pedia e voltava a pedir, finalmente o convenci. Ele cedeu, mas apenas dois

---

[17] Tradicional galeria de São Petersburgo, em funcionamento até hoje. (N.T.)

rublos e meio, e jurou que só estava fazendo esse abatimento por minha causa, por eu ser uma senhorita tão bonita, mas que não faria nenhum outro desconto, por nada. Faltavam dois rublos e meio! Estava prestes a chorar de desgosto. Mas a circunstância mais inesperada socorreu-me em meu pesar.

Não longe de mim, em outra mesinha de livros, vi o velho Pokróvski. Ao seu redor, apinhavam-se quatro ou cinco alfarrabistas; faziam-no perder o tino, não lhe davam trégua. Cada um lhe oferecia sua mercadoria, ofereciam-lhe de tudo, o que ele queria comprar? O pobre velho estava no meio deles, como que amedrontado, e não sabia o que apanhar do que lhe ofereciam. Fui até ele e perguntei: o que está fazendo aqui? O velho ficou muito contente: amava-me sem restrições, talvez não menos do que a Pétienka. "Estou comprando uns livrinhos, Varvara Aleksêievna", respondeu-me. "Estou comprando uns livrinhos para Pétienka. Pois logo será seu aniversário, e ele ama os livrinhos, então estou comprando para ele...". O velho sempre se expressava de forma ridícula, e agora, ademais, estava terrivelmente confuso. De qualquer coisa que perguntasse o preço, era sempre um rublo de prata, dois rublos, três rublos de prata; dos livros grandes nem perguntava, apenas examinava-os com inveja, folheava com os dedos, virava-os nas mãos e voltava a colocar no lugar. "Não, não, é caro", dizia, a meia-voz. "Mas talvez tenha algo acolá", e daí se punha a examinar cadernos fininhos, cancioneiros, almanaques; tudo isso era muito barato. "Mas para que comprar isso tudo?", perguntei-lhe. "São umas bobagens horríveis". "Ah, não", respondeu. "Não, veja só que livrinhos bons; esses livrinhos são muito, muito bons!" E essas últimas palavras ele proferiu de forma arrastada e tão queixosa que dava a impressão de que estava prestes a chorar de desgosto porque os livrinhos bons eram caros e agora mesmo uma lagrimazinha cairia, de suas faces pálidas, no nariz vermelho. Perguntei se ele tinha muito dinheiro. "Veja", daí o coitadinho sacou todo o seu dinheiro, embrulhado em um jornal ensebado. "Uma moedinha de cinquenta copeques, duas de vinte, e uma de cobre, de vinte". Arrastei-o imediatamente ao meu alfarrabista. "Onze livros custam, ao todo, trinta e dois rublos e meio; tenho trinta; acrescente dois e meio, e nós compramos todos esses livros, e damos juntos". O velho ficou louco de alegria, despejou todo o seu dinheiro, e o alfarrabista atulhou-o com toda a nossa biblioteca em comum. Meu velhinho botou os livros em todos os bolsos, em ambas as mãos, debaixo do braço e levou tudo para sua casa, dando-me a palavra de me trazer todos os livros, de mansinho, no dia seguinte.

No dia seguinte, o velho foi até o filho, passou uma horinha com ele, como de hábito, depois veio até nós e sentou-se junto a mim com um ar misterioso e muito cômico. Inicialmente com um sorriso, esfregando as mãos de satisfação orgulhosa por ter um segredo, declarou-me que todos os livrinhos tinham sido transferidos imperceptivelmente para nossa casa e se encontravam em um cantinho da cozinha, sob proteção de Matriona. Depois a conversa naturalmente passou para a festa esperada; depois o velho expandiu-se sobre como presentearíamos e, quanto mais se aprofundava em seu tema, quanto mais falava disso, mais claro ficava para mim que ele tinha algo no coração que não podia, não ousava, até temia manifestar. Fiquei esperando, em silêncio. A alegria secreta, a satisfação secreta que eu até então lera em seus modos estranhos, as caretas, a piscadela do olho esquerdo, desapareceram. Instantaneamente, ele ficou todo inquieto e angustiado; por fim, não aguentou:

– Ouça – ele começou, acanhado, a meia-voz –, ouça, Varvara Aleksêievna... quer saber de uma coisa, Varvara Aleksêievna? – O velho estava em um embaraço terrível. – Veja: quando chegar o dia do aniversário dele, pegue dez livrinhos e os dê em pessoa, ou seja, a senhorita mesma, da sua parte; daí eu pegarei o décimo primeiro e também darei em pessoa, ou seja, da minha própria parte. Assim, veja, a senhorita terá algo para dar, e eu terei algo para dar; nós dois teremos algo para dar.

– Daí o velho ficou atrapalhado e se calou. Fitei-o; ele aguardava meu veredito com expectativa acanhada. "Mas por que o senhor não quer que demos juntos, Zakhar Petróvitch?", "É assim, Varvara Aleksêievna, é que... pois eu, só, apenas...", em suma, o velho atrapalhou-se, corou, travou na sua frase e não conseguia sair do lugar.

– Veja bem – explicou-se, por fim. – Eu, Varvara Aleksêievna, por vezes apronto... Ou seja, desejo informá-la que eu quase apronto de tudo, e sempre apronto... Concordo que isso não é bom... Ou seja, sabe, às vezes faz tamanho frio no pátio, às vezes sucedem diversas contrariedades, ou fico triste por lá, ou alguma coisa ruim acontece, de modo que por vezes não me aguento, e apronto, e às vezes bebo demais. Petrucha[18] não gosta nada disso. Veja, Varvara Aleksêievna, ele fica zangado, ralha comigo, e me dá diversas lições de moral. Então agora eu queria demonstrar, com meu presente, que estou me emendando e começando a me comportar bem. O que eu juntei para comprar um livrinho, juntei por muito tempo, porque quase nunca tenho dinheiro, a não ser quando acontece de Petrucha dar algum. Ele sabe disso. Em consequência, ao ver como empreguei meu dinheiro, ele vai saber que fiz tudo isso apenas por ele.

Fiquei com uma pena terrível do velho. Pensei um pouco. O velho me olhava com preocupação. "Mas ouça, Zakhar Petróvitch", eu disse. "Dê tudo a ele!". "Como tudo? Ou seja, todos os livrinhos?...". "Pois bem, todos os livrinhos". "De minha parte?". "De sua parte". "Apenas de minha parte? Ou seja, em meu nome?". "Pois sim, em seu nome...". Aparentemente, eu estava falando com muita clareza, mas o velho ficou muito tempo sem conseguir me entender.

"Pois sim", ele disse, após refletir. "Sim! Isso será muito bom, isso seria bastante bom, mas e a senhorita, Varvara Aleksêievna?". "Bem, eu não vou dar nada". "Como!", gritou o velho, quase assustado. "Então a senhorita não vai dar nada a Pétienka, então não quer lhe dar nada?". O

---

[18] Diminutivo de Piotr. (N.T.)

velho ficou assustado; nesse minuto, parecia prestes a retirar sua proposta, para que eu pudesse dar algo a seu filho. Esse velho era muito bom! Assegurei-lhe de que daria algum presente de bom grado, apenas não queria tirar-lhe o prazer. "Se o seu filho ficar satisfeito", acrescentei. "E se o senhor ficar contente, eu também ficarei contente, pois no íntimo, em meu coração, sentirei que é como se eu tivesse mesmo dado o presente". Isso tranquilizou o velho por completo. Ficou mais duas horas conosco, mas por todo esse tempo não conseguia ficar sentado no mesmo lugar, levantava-se, remexia-se, fazia barulho, fazia travessuras com Sacha, beijava-me furtivamente, beliscava-me a mão e fazia caretas silenciosas para Anna Fiódorovna. Por fim, Anna Fiódorovna expulsou-o da casa. Em suma, estava arrebatado pelo êxtase, como talvez nunca ainda tivesse lhe acontecido.

No dia solene, ele apareceu pontualmente às onze horas, direto da missa, de fraque cerzido de forma decorosa, e realmente de colete novo e botas novas. Tinha pacotes de livros em ambas as mãos. Sentamo-nos todos no salão de Anna Fiódorovna e tomamos café (era domingo). O velho começou, ao que parece, dizendo que Púchkin era um versificador bastante bom; depois, perdeu-se e atrapalhou-se, e de repente passou a afirmar que é preciso se portar bem e que, se a pessoa não se porta bem, quer dizer que está aprontando; que más inclinações arruínam e aniquilam a pessoa; enumerou até alguns exemplos nocivos de descomedimento e concluiu que, há algum tempo, emendara-se por completo e que agora se portaria bem, de forma exemplar. Que mesmo antes sentia a justeza dos sermões do filho, que há tempos sentia tudo isso, e que aquilo se depositara em seu coração, mas agora começara a se conter na prática. Como demonstração, dava os livros adquiridos com dinheiro que juntara no decorrer de um longo período de tempo.

Eu não podia conter lágrimas e riso ao ouvir o pobre velho; afinal, soubera mentir quando chegou a necessidade! Os livros foram levados para o quarto de Pokróvski e colocados em uma prateleira. Pokróvski imediatamente adivinhou a verdade. O velho foi convidado para almoçar. Nesse dia, estávamos todos muito alegres. Depois do almoço, jogamos prendas, cartas; Sacha se divertiu, e eu não fiquei para trás. Pokróvski era atencioso para comigo, buscando o tempo todo uma ocasião de conversarmos a sós, mas eu não a ofereci. Foi o melhor dia em quatro anos de minha vida.

E agora todas as recordações serão tristes, pesadas; começa a narrativa de meus dias negros. Talvez por isso minha pena comece a se mover mais devagar, como se se recusasse a escrever mais. Talvez por isso tenham vindo à minha memória com tamanho fervor e tamanho amor os menores detalhes de meu pequeno cotidiano em meus dias felizes. Estes dias foram muito breves; foram substituídos pelo pesar, que Deus sabe quando acabará.

Minhas desgraças começaram com a doença e morte de Pokróvski.

Ele adoeceu dois meses após os últimos acontecimentos aqui descritos por mim. Nesses dois meses, ele se ocupou infatigavelmente de seus meios de subsistência, pois até então ainda não tivera uma posição determinada. Como todos os tísicos, não deixou até o último minuto a esperança de uma vida muito longa. Obteve um emprego de professor em algum lugar; mas tinha repulsa por este ofício. Trabalhar em algum posto do serviço público ele não podia, por causa da saúde. Além disso, teria que esperar longamente pelo primeiro ordenado. Resumindo, Pokróvski via apenas fracassos por toda parte; seu temperamento piorou. Sua saúde se deteriorou; ele não reparou. Veio o outono. Todo dia ele saía, com seu capotezinho leve, para se ocupar de seus negócios, pedir e rogar um posto para si, o que o atormentava internamente; molhava os pés, tomava chuva e, por fim, caiu de cama, da qual não mais se levantou... Morreu no auge do outono, no fim de outubro.

Praticamente não deixei seu quarto durante todo o decorrer de sua doença, tomava conta dele e servia-o. Frequentemente ficava noites inteiras sem dormir. Ele raramente estava consciente; delirava com frequência; falava Deus sabe do quê: de seu emprego, de seus livros, de mim, do pai... Então ouvi muito a respeito de suas circunstâncias, coisas que antes não sabia, nem sequer supunha. No começo da doença, todos em casa me encaravam de forma algo estranha; Anna Fiódorovna balançava a cabeça. Mas eu fitava todos diretamente nos olhos, e não me condenaram mais por minha compaixão por Pokróvski, pelo menos minha mãe.

Às vezes Pokróvski me reconhecia, mas isso era raro. Estava quase o tempo todo inconsciente. Às vezes, passava noites inteiras falando por muito, muito tempo com alguém, com palavras obscuras e sombrias, e sua voz rouca ressoava abafada em seu quarto apertado como uma tumba; então eu ficava com medo. Especialmente na última noite, estava frenético; sofria terrivelmente, angustiava-se; seus gemidos dilaceravam-me a alma. Todos em casa ficaram assustados. Anna Fiódorovna o tempo todo rezava para que Deus o levasse rápido. Chamaram um médico. O doutor disse que o paciente morreria pela manhã, sem falta.

O velho Pokróvski passou a noite inteira no corredor, à porta do quarto do filho; estenderam-lhe ali uma espécie de esteira. Entrava no quarto a todo instante; dava medo fitá-lo. Estava tão abatido pelo pesar que parecia completamente sem sentidos e apalermado. Sua cabeça sacudia de pavor. Ele tremia por inteiro, sempre cochichando algo para si mesmo, discutindo consigo mesmo. Tive a impressão de que ele enlouquecia de pesar.

Ao amanhecer, o velho, cansado de sua dor espiritual, adormeceu em sua esteira, como morto. Às sete horas, o filho começou a morrer; acordei o pai. Pokróvski estava plenamente consciente e despediu-se de todos nós. Estranho! Eu não conseguia chorar; mas minha alma se fazia em pedaços.

Mas o que mais me torturou e martirizou foram seus últimos instantes. Ele pedia durante muito, muito tempo, alguma coisa, enrolando a língua, mas eu não conseguia discernir nenhuma de suas palavras. Meu coração estourava de dor! Passou uma hora inteira irrequieto, falando sempre de algo, esforçando-se em fazer um sinal com as mãos frias e depois novamente se pôs a pedir algo de forma suplicante, com voz rouca, abafada; mas suas palavras eram apenas sons desconexos, e novamente não consegui entender nada. Levei todos os nossos até ele, dei-lhe de beber; mas ele continuava a menear a cabeça, triste. Por fim, entendi o que ele queria. Pedia-me para erguer a cortina da janela e abrir os contraventos. Certamente desejava contemplar pela última vez o dia, a luz de Deus, o sol. Abri a cortina; porém o dia que começava era triste e melancólico, como a vida a se extinguir no moribundo. Não havia sol. Nuvens recobriam o céu com uma camada enevoada; o céu estava chuvoso, turvo, triste. Uma chuva rala esvaía-se nos vidros e lavava-os com filetes de água fria, suja; o tempo era opaco e escuro. Raios do dia pálido penetraram de leve no quarto e mal competiam com a luz trêmula da lâmpada votiva, acesa diante do ícone. O moribundo fitou-me triste, bem triste, e meneou a cabeça. Em um minuto, morreu.

A própria Anna Fiódorovna ocupou-se dos funerais. Comprou-se um caixão simples, bem simples, e alugou-se uma carroça. Como garantia pelas despesas, Anna Fiódorovna tomou todos os livros e pertences do finado. O velho discutiu com ela, fez barulho, tirou delas quantos livros pôde, encheu com eles todos seus bolsos, alojou-os no chapéu, onde pôde, carregou-os consigo por três dias e não se separou deles nem quando foi preciso ir à igreja. Todos aqueles dias ele estava como desmemoriado, bestificado, e atarefava-se em torno do caixão com uma solicitude estranha: ora ajeitava a coroa de flores do falecido, ora acendia e trocava as velas. Era evidente que suas ideias não conseguiam ficar em ordem de jeito nenhum. Nem mamãe nem Anna Fiódorovna estavam na igreja na missa de corpo presente. Mamãe estava doente, e Anna Fiódorovna preparava-se para ir, mas brigou com o velho Pokróvski e ficou em casa. Só estávamos eu e o velho. Durante o serviço, fui acometida de um medo, como que um pressentimento do futuro. Mal me aguentava em pé na igreja. Por fim, fecharam o caixão, bateram os pregos, colocaram-no na telega e levaram-no. Acompanhei-o apenas até o fim da rua. O cocheiro ia a trote. O velho corria atrás dele, e chorava alto; seu pranto tremia e era entrecortado pela corrida. O velho perdeu o chapéu e não parou para recolhê-lo. Sua cabeça molhava com a chuva; começou a ventar; a geada açoitava e cortava o rosto. O velho, aparentemente, não sentia o tempo ruim e, chorando, corria de um lado para outro da telega. As abas de sua sobrecasaca imprestável esvoaçavam ao vento, como asas. De todos os bolsos sobressaíam livros; em suas mãos havia um livro enorme, que ele agarrava com firmeza. Os passantes tiravam os chapéus e se benziam. Alguns paravam e se espantavam com o pobre velho. Os livros caíam sem parar de seus bolsos, na lama. Detinham-no, apontavam-lhe sua perda; ele recolhia e voltava a se lançar no encalço do caixão. Na esquina, uma velha mendiga juntou-se a ele na perseguição ao caixão. Por fim, a telega virou na esquina e desapareceu de minha vista. Fui para casa. Em estranha angústia, joguei-me no peito de mamãe. Estreitei-a em meus braços, firme, bem firme, beijei-a e soluçava, apertando-me amedrontada contra ela, como se me empenhasse em conservar, com meus abraços, minha última amiga, e não a entregar à morte... Mas a morte já pairava sobre a pobre mamãe!

*11 de junho*

Como lhe sou grata pelo passeio de ontem na ilha, Makar Aleksêievitch! Como lá é fresco, bonito, e que vegetação! Eu não via vegetação há muito tempo; quando estava doente, tinha sempre a impressão de que eu tinha de morrer e de que morreria sem falta. Não se zangue comigo por ter estado tão triste ontem; eu estava muito bem, muito leve, mas mesmo meus melhores momentos sempre são algo tristes. Eu ter chorado é uma bobagem; eu mesma não sei por que sempre choro. Sinto de uma forma dolorida, irritada; minhas impressões são doentias. O céu sem nuvens, pálido, o pôr do sol, a bonança da tarde, tudo isso, já não sei, mas ontem eu estava disposta a receber todas as impressões de forma pesada e aflitiva, de modo que meu coração transbordou e minha alma pedia lágrimas. Mas para que lhe escrevo isso tudo? Tudo isso é difícil de dizer ao coração, e mais difícil ainda de externar. Mas talvez o senhor me compreenda. Tristeza e risos! Como o senhor é bom, de verdade, Makar Aleksêievitch! Ontem o senhor me fitava nos olhos, para ler neles como eu me sentia, e se encantava com o meu enlevo. Fosse um pequeno arbusto, uma alameda, um filete de água, e o senhor estava lá, parado na minha frente, aprumando-se, e sempre mirando meus olhos, como se me estivesse mostrando seus domínios. Isso demonstra que o senhor tem bom coração, Makar Aleksêievitch. Gosto do senhor por isso. Pois bem, adeus. Hoje estou doente de novo; ontem molhei os pés, e fiquei resfriada por isso; Fedora também está doente, de modo que agora estamos ambas enfermas. Não se esqueça de mim, venha mais.

Sua

*V. D.*

# Fiódor Dostoiévski

*12 de junho*

Minha pombinha Varvara Aleksêievna!

    Eu achava, querida, que a senhorita me escreveria verdadeiras poesias a respeito de ontem, mas só saiu uma simples folhinha. A esse respeito digo que, embora tenha me escrito pouco em sua folhinha, em compensação escreveu de forma extraordinariamente bela e doce. A natureza, as diversas paisagens rurais, todo o resto sobre os sentimentos, em suma, a senhorita descreveu tudo isso muito bem. Eu não tenho esse talento. Ainda que rabisque umas dez páginas, não sai nada, não descrevo nada. Já tentei. Minha cara, a senhorita escreve que sou um homem bom, sem maldade, incapaz de prejudicar o próximo e apto a perceber a bondade do senhor, manifesta na natureza, e, por fim, faz-me diversos elogios. Tudo isso é verdade, querida, tudo isso é absolutamente verdade; sou mesmo assim, como a senhorita diz, e sei disso; mas, ao ler o que a senhorita escreve, o coração se comove a contragosto, e depois ocorrem diversas considerações penosas. Então escute-me, querida, vou lhe contar algo, minha cara.
    Começo dizendo que tinha dezessete aninhos quando entrei para o serviço, e já cumpri trinta anos de atividade funcional. Bem, não há o que dizer, já gastei muito uniforme; amadureci, tomei juízo, observei as pessoas; vivi, posso dizer que vivi nesse mundo, de modo que certa vez até quiseram me indicar para o recebimento de uma cruz. Talvez a senhorita não creia, mas é verdade, não estou mentindo. Pois bem, querida, gente má se intrometeu nisso! E lhe digo, minha cara, embora eu seja uma pessoa burra, uma pessoa estúpida, contudo tenho um coração como qualquer outro. Sabe, Várienka, o que essa gente má me fez? É vexatório dizer o que fez; pergunte por que fez. Porque eu sou calminho, porque eu sou quietinho, porque eu sou bonzinho! Eu não era

do gosto deles, e caíram-me em cima. Começou com "o senhor, Makar Aleksêievitch, é isso e aquilo"; depois virou "como assim, nem pergunte a Makar Aleksêievitch". E agora concluíram que "mas claro, Makar Aleksêievitch é isso aí!" Veja, querida, como a coisa aconteceu; tudo em cima de Makar Aleksêievitch; souberam fazer de um jeito tal que Makar Aleksêievitch virou um provérbio em todo o nosso departamento. Como se não bastasse terem feito de mim um provérbio, quase um palavrão, chegaram às botas, ao uniforme, ao cabelo, à minha figura; nada lhes agradava, tinha que refazer tudo! E, desde tempos imemoriais, isso se repete, a cada santo dia. Estou acostumado, pois me acostumo a tudo, pois sou uma pessoa calma, pois sou uma pessoa pequena; contudo, para que isso tudo? A quem fiz mal? Impedi a promoção de alguém? Denegri alguém diante dos superiores? Pedi gratificação? Inventei alguma calúnia? É pecado até pensar, querida! Mas de onde vem isso tudo? Examine, minha cara, por acaso tenho as características adequadas para a perfídia e a ambição? Então por que caíram em cima de mim desse jeito, que o Senhor me perdoe? Afinal, a senhorita me acha um homem digno, e a senhorita é incomparavelmente melhor do que eles todos, querida. Afinal, qual é a maior virtude cívica? Outro dia, em uma conversa privada, Evstáfi Ivánovitch declarou que a mais importante virtude cívica era saber fazer dinheiro. Ele disse de brincadeira (sei que foi de brincadeira), pois a moral é que não se deve ser um fardo para ninguém; e eu não sou um fardo para ninguém! Meu pedaço de pão é meu; verdade que é um pedaço simples, por vezes até duro; mas foi ganho com meu trabalho, adquirido de forma legal e irrepreensível. Mas o que fazer? Sei que o que faço não é muito, sou um amanuense; mas, mesmo assim, me orgulho; trabalho, derramo meu suor. E o que é que tem se sou amanuense? Por acaso é pecado ser amanuense? "Ele é amanuense!"; "Esse rato de funcionário é um amanuense!"; O que isso tem de tão desonrado? Minha caligrafia é tão nítida, boa, agradável de ver, e Sua Excelência está satisfeito; copio-lhe os papéis mais importantes. Bem, não tenho estilo, eu mesmo sei que não tenho esse maldito; por isso não avancei no serviço, e mesmo agora, minha cara, escrevo-lhe sem malícia, sem pompa, conforme as ideias que trago no coração… Sei disso tudo; contudo, se todos se pusessem a escrever, quem iria copiar? Faço-lhe esta pergunta e peço que responda, querida. Bem, dessa forma admito agora que sou necessário, que sou indispensável, e que não se deve tirar o juízo de uma pessoa com absurdos. Pois, então, que eu seja um rato, já que me acharam parecido! Mas este rato aqui é necessário, este rato aqui traz proveito, confiam neste rato aqui, este rato aqui recebe gratificação, que rato ele é! Aliás, basta desse tema, minha cara; nem queria falar disso, exaltei-me um pouco. Mesmo assim, é agradável fazer justiça a si mesmo de tempos em tempos. Adeus, minha cara, minha pombinha, minha bondosa consoladora! Eu vou, vou visitá-la sem falta, minha dileta. Enquanto isso, não se chateie. Vou lhe levar um livrinho. Bem, adeus, Várienka.

Com afeto cordial,

*Makar Diévuchkin*

*20 de junho*

Prezado senhor Makar Aleksêievitch!

Escrevo-lhe rapidamente, apresso-me para terminar um trabalho no prazo. Veja qual é a questão: é possível fazer uma boa compra. Fedora disse que um conhecido dela está vendendo um uniforme completo, absolutamente novo, roupa de baixo, colete e quepe, e diz que sai tudo bem barato; então compre. Afinal, agora o senhor não está passando necessidade, tem dinheiro; o senhor mesmo diz que tem. Por favor, não seja mesquinho; afinal, isso é necessário. Olhe para si mesmo, para a roupa velha que está usando. Uma vergonha! Toda remendada. Nova o senhor não tem; sei disso, embora o senhor me assegure do contrário. Sabe Deus como o senhor se livrou dela. Então ouça-me, compre, por favor. Faça isso por mim; se gosta de mim, compre.

O senhor me mandou roupa branca de presente; mas ouça, Makar Aleksêievitch, o senhor está esbanjando. Não é brincadeira o quanto gastou comigo, uma dinheirama terrível! Ah, como o senhor gosta de dissipar! Não preciso disso; tudo isso é absolutamente supérfluo. Sei, estou segura de que o senhor gosta de mim; na verdade, é supérfluo lembrar-me disso com presentes; é duro aceitá-los do senhor; eu sei o quanto eles lhe custam. De uma vez por todas, basta; está me entendendo? Peço-lhe, imploro-lhe. Makar Aleksêievitch, o senhor me pede que mande a continuação de minhas memórias; deseja que eu as termine. Não sei como escrevi o que escrevi! Mas agora não tenho forças para falar de meu passado; não quero nem pensar nele; fiquei com medo dessas lembranças. Falar de minha pobre mamãe, que deixou sua pobre criança à mercê daqueles monstros, é o mais duro de tudo para mim. Meu coração sangra só de lembrar. Tudo isso ainda é muito recente; não consegui não apenas me acalmar, como voltar a mim, embora já tenha se passado mais de um ano. Mas o senhor sabe de tudo.

Falei-lhe das ideias atuais de Anna Fiódorovna; culpa-me de ingratidão, e repudia qualquer acusação de conluio com o senhor Býkov! Chama-me para a sua casa; diz que estou mendigando, que fui por um mau caminho. Diz que, se eu voltar à casa dela, lutará para regularizar toda a situação com o senhor Býkov e forçá-lo a reparar toda a sua culpa perante mim. Diz que o senhor Býkov quer me dar um dote. Que vão com Deus! Estou bem aqui com o senhor e minha boa Fedora, cujo apego para comigo lembra-me de minha finada aia. Embora seja um parente distante, o senhor me protege com seu nome. Mas eles, eu não conheço; hei de esquecê-los, se puder. O que ainda querem de mim? Fedora diz que tudo isso é fofoca, e que no fim eles vão me deixar. Deus permita!

V. D.

*21 de junho*

Minha pombinha querida!

Quero escrever, mas não sei como começar. Afinal, como é estranho, querida, o jeito que nós dois vivemos agora. Digo que nunca na minha vida tive tamanha alegria. Bem, é como se o Senhor tivesse me abençoado com um lar e família! Minha linda filhinha! Mas o que é isso que a senhorita está dizendo das quatro pequenas camisas que lhe mandei? Afinal, precisava delas, fiquei sabendo por Fedora. E para mim, querida, é uma felicidade especial satisfazê-la; é minha satisfação, permita-me, querida; não me ataque, nem objete. Nunca me aconteceu uma coisa dessas, querida. Agora eu me joguei no mundo. Em primeiro lugar, tenho uma vida dupla, porque a senhorita mora muito perto de mim, para meu consolo; e, em segundo, hoje um inquilino me convidou para o chá, meu vizinho, Rataziáiev, aquele funcionário que dá serões literários. Hoje tem reunião; vamos ler literatura. Veja como estamos agora, querida, veja! Bem, adeus. Escrevi tudo isso sem nenhum objetivo evidente, apenas para informar-lhe de minha alegria. Minha alma, a senhorita me mandou dizer, através de Teresa, que precisa de uma sedinha colorida para o bordado; eu compro, querida, compro a sedinha. Amanhã mesmo terei o prazer de satisfazê-la por completo. Sei até onde comprar. E agora continuo

seu amigo sincero,

*Makar Aleksêievitch*

*22 de junho*

Prezada senhorita Varvara Aleksêievna!

Informo-lhe, minha cara, que em nosso apartamento ocorreu um acidente muito lamentável, realmente, realmente digno de pena! Hoje, às quatro da manhã, morreu o pequeno de Gorchkov. Só não sei de que foi, se foi escarlatina, o Senhor é quem sabe! Fui visitar esses Gorchkov. Ah, minha querida, que pobreza! E que desordem! E não é de se espantar: a família inteira vive no mesmo quarto, apenas separaram com uns biombozinhos por decoro. Têm um caixãozinho, um caixãozinho bem simples, mas bastante belo; compraram pronto, o menininho tinha nove anos; dizem que dava esperanças. Mas dá dó olhar para eles, Várienka! A mãe não chora, mas está tão triste, a coitada. Talvez seja até mais fácil para eles terem um a menos para carregar nas costas; mas sobraram mais dois, um de peito e uma menina pequena, que deve ter seis anos e pouco. Mas que satisfação pode haver em ver que uma criança está sofrendo, ainda mais seu próprio filhinho, e não poder ajudar em nada? O pai fica sentado, com seu fraque velho e ensebado, em uma cadeira quebrada. Lágrimas jorram dele, e talvez nem de tristeza, mas por hábito, os olhos estão supurando. Como ele é esquisito! Fica todo vermelho quando você fala com ele, atrapalha-se e não sabe o que responder. A menina pequena, a filhinha, fica inclinada sobre o caixão, coitadinha, tão chateada, tão pensativa! Eu não gosto, Várienka querida, quando uma criança fica pensativa; é desagradável de olhar! Uma boneca de trapos jaz no solo, a seu lado, ela não brinca; mantém um dedinho nos lábios; fica parada, não se move. A senhoria deu-lhe um bombonzinho; ela pegou, mas não comeu. Triste, não é, Várienka?

*Makar Diévuchkin*

*25 de junho*

Caríssimo Makar Aleksêievitch! Mando-lhe seu livrinho de volta. Que livreco mais imprestável! Não dá nem para pôr a mão. De onde o senhor desencavou uma preciosidade dessas? Sem brincadeira, será possível que o senhor goste desse tipo de livrinho, Makar Aleksêievitch? Prometeram-me conseguir algo para ler por esses dias. Compartilho com o senhor, caso queira. E agora até a vista. Verdade, não tenho mais tempo para escrever.

*V. D.*

# Gente pobre

*26 de junho*

Gentil Várienka! A questão é que eu não li mesmo esse livreco, querida. Na verdade, dei uma passada de olhos, vi que era uma besteira escrita apenas para provocar o riso, para divertir as pessoas; bem, pensei, deve ser de fato divertido; quem sabe Várienka goste; peguei e lhe enviei.

Mas eis que Rataziáiev vai me dar literatura de verdade para ler, então a senhorita também terá os livrinhos, querida. Rataziáiev sabe das coisas, é um erudito; escreve, ah, como escreve! Uma pena muito vivaz, e estilo de sobra; ou seja, em cada palavra, seja qual for –, na mais vazia, até na mais comum, na mais vulgar, às vezes eu até digo isso, digo a Faldoni ou Teresa, ele tem estilo. Estive em seu serão. Fumamos tabaco, e ele leu, leu por cinco horas, e nós escutamos o tempo todo. É um banquete, não literatura! É um encanto, são flores, simplesmente flores; forma-se um buquê a cada página! Ele é muito cortês, bondoso, amável. Bem, o que eu sou, comparado a ele, o quê? Um nada. Ele é um homem de reputação, e eu sou o quê? Simplesmente não existo; e ele é benevolente comigo. Copio-lhe algumas coisas. Só não vá achar, Várienka, que aqui tem algum truque, que ele só é benevolente comigo porque eu lhe faço cópias. Não acredite nas fofocas, querida, não acredite nas fofocas vulgares. Não, eu o faço por mim mesmo, por vontade própria, para a satisfação dele, e, se ele é benevolente para comigo, é para minha satisfação. Entendo a delicadeza de uma conduta, querida. Ele é uma pessoa boa, muito boa, e um escritor incomparável.

E a literatura é uma coisa boa, Várienka, muito boa; aprendi isso deles há três dias. Uma coisa profunda! Fortalece o coração das pessoas, instrui, e há muitas outras coisas a respeito disso tudo no livrinho por ele escrito. Muito bem escrito! A literatura é um quadro, ou seja, uma espécie de quadro e espelho: expressão das paixões, crítica fina, lição edificante e documento. Captei isso tudo deles. Digo-lhe francamente, querida, que você se senta no meio deles, escuta (e, assim como eles, pode ser que também fume um cachimbo); mas, assim que começam a competir em discussões sobre diversos temas, eu simplesmente capitulo, pois aí, querida, eu e a senhorita devemos simplesmente capitular. Eu me revelo simplesmente o parvo dos parvos, tenho vergonha de mim mesmo, fico a noite inteira tentando colocar meia palavrinha que seja na conversa geral, mas essa meia palavrinha não existe, como que de propósito! E a gente lamenta, Várienka, por não ser desse jeito; mas, como reza o ditado, ter crescido de corpo, mas não de mente. Afinal, agora o que eu faço no tempo livre? Durmo, imbecil dos imbecis. E, em vez do sono inútil, deveria ocupar-me de algo agradável; como sentar e escrever. É útil para si e bom para os outros. Basta ver, querida, quanto eles ganham, que o Senhor os perdoe! Ratiaziáiev que seja, quanto ele ganha! O que lhe custa escrever uma folha? Pois outro dia escreveu cinco, e diz que recebe trezentos por folha. Assim, uma anedotazinha qualquer, ou algo curioso, são quinhentos, pague ou não pague, pode estrebuchar, mas pague! Senão, da próxima vez, bota mil rublos no bolso! Que tal, Varvara Aleksêievna? Tem mais! Ele tem um caderninho de poesias, e os poeminhas são todos pequenos, sete mil, querida, ele pede sete mil, imagine. Isso é um bem imóvel, uma casa completa! Diz que lhe oferecem cinco mil, mas ele não aceita. Eu o chamo à razão, digo "aceite, meu caro, esses cinco mil deles, e os mande às favas, afinal, cinco mil é dinheiro!" "Não", ele diz, "vão pagar sete, esses vigaristas". É um verdadeiro finório!

Já que chegamos aí, querida, escrevo-lhe uma pequena passagem de *Paixões Italianas*. Ele tem uma obra com esse nome. Leia, Várienka, e julgue por si mesma.

"...Vladímir estremeceu, as paixões borbulhavam furiosamente nele, e o sangue fervia...

– Condessa – gritou –, condessa! Por acaso a senhora sabe quão terrível é essa paixão, quão desenfreada é essa loucura? Não, meus sonhos não me enganaram! Eu amo, amo com arrebatamento, fúria, loucura! Nem todo o sangue de seu marido afogará o arrebatamento furioso e borbulhante de minha alma! Obstáculos insignificantes não deterão o fogo destruidor e infernal que sulca meu peito extenuado. Oh, Zinaída, Zinaída!...

– Vladímir! – sussurrou a condessa, fora de si, inclinando-se em seu peito...

– Zinaída! – gritou Smélski, arrebatado. Um suspiro evaporou de seu peito. Com chamas ardentes, um incêndio se desencadeava no altar do amor, e sulcava o peito dos sofredores desgraçados.

– Vladímir! – sussurrava a condessa, em êxtase. Seu peito se erguia, suas faces enrubesciam, os olhos ardiam...

Um matrimônio novo e terrível fora consumado!

\* \* \*

Meia hora mais tarde, o velho conde entrou no *boudoir* da esposa.

– E então, minha alma, não devemos servir o samovarzinho para nosso querido hóspede? – ele disse, dando um tapinha no rosto da esposa.

Pois bem, depois disso, querida, pergunto-lhe, o que acha? Verdade que é um pouco livre, não há o que discutir, mas, em compensação, é bom. O que é bom, é bom! Permita-lhe copiar ainda um pedacinho da novela *Iermak e Zuleika*.

Imagine, querida, que o cossaco Iermak, o selvagem e terrível conquistador da Sibéria, está apaixonado por Zuleika, filha do rei siberiano Kuzum, que caiu em seu poder. Um acontecimento da época de Ivan, o Terrível, como está vendo. Eis o diálogo de Iermak e Zuleika:

– Você me ama, Zuleika! Oh, repita, repita!...

– Eu amo você, Iermak – sussurrou Zuleika.

– Céus e terra, agradeço-lhes! Sou feliz!... Vocês me deram tudo, tudo a que meu espírito alvoroçado aspirava desde meus anos adolescentes. Veja onde você me trouxe, minha estrela guia; veja para que você me guiou até aqui, para além do Cinturão de Pedra! Mostrarei ao mundo inteiro minha Zuleika, e os homens, monstros furiosos, não ousarão me acusar! Oh, se eles pudessem entender os sofrimentos secretos de sua alma terna, se fossem capazes de ver todo o poema que há em uma lagrimazinha de minha Zuleika! Oh, deixe-me enxugar com beijos esta lagrimazinha, deixe-me bebê-la, essa lagrimazinha celestial... etérea!

– Iermak, disse Zuleika –, o mundo é perverso, as pessoas são injustas! Vão nos expulsar, vão nos condenar, meu gentil Iermak! O que uma pobre donzela, crescida entre as neves natais da Sibéria, na tenda de seu pai, vai fazer no seu mundo frio, gelado, desalmado, cheio de amor-próprio? As pessoas não vão me entender, meu querido, meu amado!

– Então o sabre cossaco há de se erguer sobre elas e sibilar! – gritou Iermak, fitando a esmo com os olhos selvagens."

O que será então agora de Iermak, Várienka, ao saber que sua Zuleika foi degolada? O velho cego Kutchum, aproveitando a escuridão da noite, penetrou, na ausência de Iermak, em sua tenda e degolou sua filha, desejando assentar um golpe mortal em Iermak, que o privara do cetro e da coroa.

"– Gosto de esfregar o ferro na pedra! – gritou Iermak, em ira selvagem, afiando sua faca de Damasco na pedra do xamã – Preciso do sangue deles, do sangue! Tenho que serrá-los, serrá-los, serrá-los!!!"

E, depois disso tudo, Iermak, sem forças para sobreviver a Zuleika, joga-se no rio Irtých, e assim tudo termina.

Bem, e aqui vai um exemplo, um pequeno pedaço, do gênero satírico-descritivo, escrito apenas para provocar o riso:

"Você conhece o Ivan Prokófievitch Lagarto? Bem, é o mesmo que mordeu a perna de Prokófi Ivánovitch. Ivan Prokófievitch é um homem de caráter rude, mas, em compensação, de virtudes raras; Prokófi Ivánovitch, pelo contrário, gosta extraordinariamente de rábano com mel. Quando Pelagueia Antónovna ainda se dava com ele... Mas você conhece Pelagueia Antónovna? Bem, aquela mesma que sempre usa a saia do avesso."

Isso é humor, Várienka, simplesmente humor! Rolávamos de rir quando ele lia isso. Ele é assim, que o Senhor o perdoe! Aliás, querida, embora seja algo rebuscado, talvez até brincalhão demais, é em compensação uma coisa ingênua, sem o menor sinal de livre-pensar e ideias liberais. É preciso notar, querida, que Rataziáiev tem um comportamento maravilhoso e, por isso mesmo, é um escritor excelente, diferentemente de outros escritores.

Mas veja, de fato, que ideia às vezes me passa pela cabeça... Pois bem, e se eu escrevesse alguma coisa que fosse? Pois bem, por exemplo, suponhamos que, sem mais nem menos, saísse à luz um livrinho com o título *Poesias de Makar Diévuchkin*! O que diria, meu anjinho? Como isso lhe pareceria, o que pensaria? Por mim, digo, querida, que, assim que meu livrinho saísse, eu decididamente não ousaria me mostrar na avenida Névski. Afinal, o que seria se qualquer um dissesse lá vai o autor literário e vate Diévuchkin, veja, é o próprio Diévuchkin! O que então eu deveria fazer, por exemplo, com minhas botas? Observo-lhe de passagem, querida, que as minhas estão quase sempre remendadas, e as solas, para dizer a verdade, às vezes estão bastante indecentes. Mas o que seria quando todos ficassem sabendo que as botas do autor Diévuchkin são remendadas? Se uma condessa-duquesa qualquer soubesse, o que ela não diria, minha alma? Pode ser que ela nem notasse; pois suponho que as condessas não se ocupem de botas, pelo menos das de funcionários (afinal, há botas e botas), mas iriam lhe contar tudo, meus amigos me trairiam. Rataziáiev seria o primeiro a trair; ele frequenta a condessa V.; diz que a visita o tempo todo, simplesmente visita. Diz que ela é uma alma literária, diz que é uma tremenda dama. É um malandro, esse Rataziáiev!

## Fiódor Dostoiévski

Aliás, chega desse assunto; escrevi tanto, meu anjinho, por gaiatice, para distraí-la. Adeus, minha pombinha! Redigi muita coisa aqui, mas isso porque hoje especialmente estou no melhor dos humores. Hoje jantamos todos juntos com Rataziáiev, e (são uns sapecas, querida!) e botaram na roda um vinho doce... mas para que lhe escrever sobre isso? Mas veja, não vá me levar a mal, Várienka. Foi só isso. Vou lhe mandar o livrinho, mando sem falta... Circula aqui de mão em mão uma obra de Paul de Kock[19], só que Paul de Kock não é para a senhorita, querida, nem será... Não, não! Paul de Kock não serve para a senhorita. Dizem que ele provocou uma nobre indignação em todos os críticos petersburguenses. Mando-lhe uma librazinha de bombons, comprei especialmente para a senhorita. Coma, minha alma, e lembre-se de mim a cada bombom. Só não vá morder as balas, apenas chupe, senão fará mal aos dentes. Por acaso gosta de fruta confeitada? Escreva-me. Bem, adeus, adeus. Que Cristo esteja com a senhorita, minha pombinha. E eu serei para sempre

seu mais fiel amigo

*Makar Diévuchkin*

*27 de junho*

Prezado senhor Makar Aleksêievitch!

Fedora diz que, se eu quiser, algumas pessoas se interessariam com satisfação por minha situação e me obteriam um emprego muito bom

---
[19] Charles Paul de Kock (1794-1871), romancista francês de muito sucesso entre as classes populares, porém tido em baixa conta pelos críticos, que o julgavam frívolo e até imoral. (N.E.)

em uma casa, como governanta. O que acha, meu amigo, vou ou não vou? Claro que lá eu não serei um peso para o senhor, e o emprego, aparentemente, é vantajoso; mas dá medo entrar em uma casa estranha. São uns proprietários rurais. Vão se informar a meu respeito, começarão a interrogar, a demonstrar curiosidade, o que direi então? Ainda por cima, sou muito insociável, arisca; gosto de ficar no canto ao qual me acostumei há tempos. É melhor onde você está acostumado: ainda que viva em meio ao pesar, mesmo assim é melhor. Ainda por cima, tem a viagem; e Deus sabe qual será a minha função; pode ser que simplesmente tenha que cuidar de crianças. E é gente assim: já estão trocando a terceira governanta em dois anos. Aconselhe-me, Makar Aleksêievitch, pelo amor de Deus, vou ou não vou? E por que o senhor nunca vem me visitar? Às vezes, só mostra os olhos. Quase só nos vemos aos domingos, na missa. Como o senhor é insociável! O senhor é igualzinho a mim! E eu sou quase sua parente. O senhor não gosta de mim, Makar Aleksêievitch, e às vezes fico muito triste sozinha. Vez por outra, especialmente no crepúsculo, fico solitária, sozinha. Fedora sai para algum lugar. Fico sentada, penso, repenso, lembro-me de tudo que se passou, da alegria e da tristeza, tudo passa diante dos olhos, tudo tremeluz, como na neblina. Aparecem rostos conhecidos (começo quase a sonhar de olhos abertos), vejo mamãe mais do que todos... E que sonhos eu tenho! Sinto que minha saúde está abalada; estou tão fraca; hoje mesmo, ao me levantar da cama pela manhã, senti-me mal; ademais, tenho uma tosse tão feia! Sinto, sei que vou morrer em breve. Quem vai me enterrar? Quem seguirá meu caixão? Quem me pranteará?... Pode ser que me aconteça de morrer num lugar estranho, numa casa estranha, num canto estranho!... Meu Deus, como é triste viver, Makar Aleksêievitch! Meu amigo, por que fica me alimentando de bombons? Na verdade, não sei de onde o senhor tira tanto dinheiro. Ah, meu amigo, guarde o dinheiro, pelo amor de Deus, guarde. Fedora vai vender um tapete que fiz: darão cinquenta rublos em notas. É muito bom: achei que sairia por menos. Darei três rublos de prata a Fedora e farei um vestidinho para mim, simplesinho, quente. Para o senhor farei um colete, farei eu mesma, escolhendo bom material.

Fedora me arranjou um livrinho, *Contos de Bélkin*[20], que vou lhe mandar, se quiser ler. Por favor, apenas não o suje, nem se demore; o livro é de outra pessoa; é uma obra de Púchkin. Há dois anos, li esses contos com mamãe, e agora foi muito triste relê-los. Se tiver algum livro, mande-me, apenas no caso de não tê-los recebido de Rataziáiev. Ele provavelmente vai dar suas próprias obras se tiver publicado algo. Como pode gostar das obras dele, Makar Aleksêievitch? Tamanhas bobagens... Bem, adeus! Como eu tagarelei! Quando estou triste, fico contente em tagarelar, seja sobre o que for. É um remédio: alívio imediato, particularmente se você diz tudo que leva no coração. Adeus, adeus, meu amigo!

Sua

V. D.

*28 de junho*

Querida Varvara Aleksêievna!

Chega de lastimar! Como não tem vergonha? Mas basta, meu anjinho; como tais ideias podem ocorrer-lhe? A senhorita não está doente,

---

[20] *Contos do falecido Ivan Petróvitch Bélkin* (1831), de A. S. Púchkin. (N.T.)

minha alma, não está nada doente; está florescendo, de verdade, florescendo; um pouco pálida, mas florescendo. E o que são esses sonhos e visões? Uma vergonha, minha pombinha, basta; despreze esses sonhos, simplesmente despreze. Por que durmo bem? Por que não me acontece nada? Olhe para mim, querida. Vivo na minha, durmo tranquilo, sou saudável, o mais robusto dos robustos, dá gosto de olhar. Basta, basta, minha alma, é uma vergonha. Emende-se. Conheço sua cabecinha, querida, basta algo acontecer e a senhorita já se põe a sonhar e se angustiar. Pare, por mim, minha alma. Ir até essas pessoas? Jamais! Não, não e não! E como a senhorita pode pensar que isso lhe convém? E ainda tem viagem! Mas não, querida, não deixo, armo-me de todas as forças contra essa intenção. Vendo meu velho fraque e passo a andar pelas ruas só de camisa, mas não a deixarei passar necessidade. Não, Várienka, não; pois eu a conheço! É um capricho, puro capricho! Com certeza, a única culpada disso tudo é Fedora: essa mulher estúpida, pelo visto, foi quem lhe deu toda essa ideia. Querida, não acredite nela. A senhorita com certeza não sabe de tudo, minha alma... É uma mulher estúpida, rabugenta, insensata: foi ela quem deu cabo do marido. Ou ela, por acaso, deixou-a irritada? Não, não, querida, de jeito nenhum! O que será de mim, que me restará fazer? Não, Várienka, minha alma, tire isso da cabecinha. O que lhe falta por aqui? Não cansamos de nos alegrar com a senhorita, a senhorita gosta de nós, então viva aqui, na paz; costure, ou leia, ou talvez não leia, dá na mesma, apenas viva conosco. E julgue por si mesma, o que isso vai parecer então?... Vou lhe conseguir um livrinho, e depois, talvez, voltaremos a passear juntos. Só que basta, querida, basta, crie juízo e não fantasie besteiras! Vou até aí, e muito brevemente, mas aceite minha admissão franca e sincera: isso não é bom, minha alma, não é nada bom! Claro que não sou instruído e sei que não sou instruído, que meus estudos não valem um tostão furado, mas não é por aí que quero levar a conversa, a questão não sou eu, mas intervenho em favor de Rataziáiev, se me permite. É meu amigo, por isso intervenho em favor dele. Ele escreve bem, escreve muito, muito e novamente muito bem. Não concordo com a senhorita, e não posso concordar de jeito nenhum. A escrita é floreada, entrecortada, com figuras, tem várias ideias; é muito boa! Talvez tenha lido sem sentimento, Várienka, ou estivesse de mau humor ao ler, zangada com Fedora por algum motivo, ou algo não lhe tivesse saído bem. Não, leia com sentimento, ou melhor, quando estiver satisfeita, contente e se encontrar de bom humor, por exemplo, quando tiver um bombom na boca, daí leia. Não discuto (quem se oporia a isso?) que há escritores melhores que Rataziáiev, que há até muitos melhores, mas eles são bons, e Rataziáiev também; eles escrevem bem, e ele também. Ele é peculiar, escreve à sua maneira, e faz muito bem em escrever. Bem, adeus, querida; não posso mais escrever; devo me apressar, tenho afazeres. Veja bem, querida, amada dileta, acalme-se, que o Senhor esteja com a senhorita, e eu continuo

seu fiel amigo

*Makar Diévuchkin*

P.S.: obrigado pelo livrinho, minha cara, lerei também Púchkin; hoje à noite, sem falta, irei à sua casa.

*1º de julho*

Meu caro Makar Aleksêievitch!

Não, meu amigo, não tenho como viver com vocês. Ponderei e acho que faço muito mal ao recusar um posto tão vantajoso. Lá terei, pelo menos, um pedaço seguro de pão; vou me esforçar para merecer o afeto dessa gente estranha, esforço-me até para mudar meu temperamento, se for necessário. Claro que é doído e duro viver entre estranhos, buscar a piedade alheia, dissimular e se constranger, mas Deus me ajudará. Não posso ficar insociável para sempre. Já estive em situações semelhantes. Lembro-me de quando ainda era pequena e frequentava o internato. Todo domingo em casa eu brincava, pulava, vez por outra mamãe ralhava, tanto fazia, eu estava sempre com o coração bom, a alma radiante. A noite começava a se aproximar, e se abatia uma tristeza mortal, eu tinha que ir ao internato às nove horas, e lá tudo era estranho, frio, severo, as preceptoras, às segundas-feiras, eram muito zangadas, dava um aperto no coração, vontade de chorar; eu ia para um cantinho e chorava sozinha, solitária, ocultando as lágrimas; diziam: sua preguiçosa; mas eu não estava absolutamente chorando porque tinha que estudar. Bem, e então? Acostumei-me, e depois, quando saí do internato, também chorei ao me despedir das amigas. Não faço bem em ser um fardo para vocês. Essa ideia, para mim, é a que mais me aflige. Digo-lhe tudo isso com franqueza, pois me habituei a ser franca com o senhor. Por acaso não vejo como Fedora se levanta todo dia cedo, bem cedinho, põe-se a lavar roupa e trabalha até tarde da noite? E ossos velhos apreciam descanso. Por acaso eu não vejo que o senhor se arruína por minha causa, separando o último copeque para gastar comigo? O senhor não está em condições, meu amigo! O senhor escreve que vai vender a última coisa que tiver, mas não me deixará passar necessidade. Creio, meu amigo, creio em seu bom coração, mas está falando isso agora. Agora o senhor tem um dinheiro inesperado, recebeu uma gratificação; mas o que será depois? O senhor sabe que estou sempre doente; não posso trabalhar como o senhor, embora, de coração, isso me deixasse contente, e nem sempre tenho trabalho. O que me resta? Rebentar de angústia ao olhar para vocês dois, meus queridos. Como posso ser-lhe da menor serventia? E por que lhe sou tão indispensável, meu amigo? O que lhe fiz de bom? Apenas me liguei ao senhor de toda alma, amo-o com firmeza, com força, de todo coração, mas, destino amargo, o meu!, sei amar e posso amar, mas só isso, não fazer o bem, não o recompensar por seus favores. Não me retenha mais, pense e me diga sua última opinião. Na expectativa, permaneço

aquela que o ama

V. D.

---

*1º de julho*

Capricho, capricho, Várienka, simplesmente capricho! Basta deixá-la, e o que não inventa nessa sua cabecinha? Isso não está certo, e aquilo também não! E agora eu vejo que é tudo capricho. Mas o que lhe falta aqui conosco, querida, basta dizer! É amada, ama-nos, estamos todos satisfeitos e felizes, o que mais? Bem, o que vai fazer com esses estranhos? Pois com certeza a senhorita não sabe quem esse é estranho. Não, então tenha a bondade de indagar, e eu lhe digo quem é esse estranho. Eu o conheço, querida, conheço bem; aconteceu-me de comer seu pão. É mau, Várienka, mau, mas tão mau que o seu coraçãozinho não vai aguentar, de tanto que ele vai torturá-la com broncas, reprimendas, olhares perversos. Conosco a senhorita está aquecida, está bem, como que aconchegada em um ninhozinho. Será como se nos deixassem sem cabeça. O que vamos fazer sem a senhorita; o que eu, um velho, farei então? A senhorita não é necessária? Não é útil? Como não é útil? Não, querida, julgue por si mesma, como não é útil? A senhorita é muito útil para mim, Várienka. Tem uma influência tão benéfica... Veja, agora estou pensando na senhorita, e estou feliz... Vez por outra escrevo uma carta, expondo todos os meus sentimentos, e recebo uma resposta sua detalhada. Comprei-lhe todo um guarda-roupa, mandei fazer um chapéu; de vez em quando tem alguma encomenda, e essa encomenda eu... Não, como a senhorita não é útil? E o que vou fazer sozinho na velhice, para que vou prestar? Pode ser que não tenha pensado nisso, Várienka; não, pois pense justamente nisso, o que, para que ele vai prestar sem mim? Estou habituado à senhorita, minha cara. E no que isso vai dar? Eu vou até o rio Nevá e caso encerrado. Sim, verdade, isso é que vai ser, Várienka; o que me resta a fazer sem a senhorita? Ah, Várienka, minha alma! Pelo visto, deseja que um carroceiro me leve a Vólkovo e que lá apenas uma velha mendiga indigente acompanhe meu caixão, que cubram de areia e vão embora e me deixem lá, sozinho. Um pecado, querida! Verdade, um pecado, ai, meu Deus, um pecado! Envio-lhe o seu livrinho, Várienka, minha amiguinha, e se, minha amiguinha, se perguntar minha opinião a respeito do seu livrinho, direi que na minha vida jamais me ocorreu de ler um livrinho tão esplêndido. Pergunto-me agora, querida, como pude viver até hoje como um bobalhão, que o Senhor me perdoe? O que eu fiz? De que selva eu sou? Pois não sei nada, querida, não sei mesmo nada! Absolutamente nada! Digo-lhe simplesmente, Várienka, sou um homem sem instrução; até agora li pouco, li muito pouco, quase nada; li *Retrato de um homem*[21], uma obra inteligente; li *O menino que tocava várias peças em sinos*[22], li até *Os grous de*

---

[21] *Retrato de um homem, experiência de leitura edificante sobre temas do autoconhecimento, para todas as classes instruídas*, desenhado por A. I. *Gálitch* (1834). Gálitch (1783-1848) foi professor de Púchkin no liceu, psicólogo e filósofo idealista. Na década de 1840, esse livro, como os outros dois listados por Makar Aleksêievitch, era tido como símbolo de um gosto literário passadista. (N.E.)

[22] O romance *O Pequeno Sineiro* (1809; traduções russas em 1810 e 1820), do escritor francês Ducray-Duminil (1761-1819) retrata o destino infeliz de um menino que cresceu na indigência. Por fim, o herói encontra seus pais e, de músico ambulante, transforma-se em conde famoso. (N.E.)

*Íbico*²³, só isso, é tudo, nunca mais li nada. Agora li *O chefe da estação*²⁴ aqui, no seu livrinho; pois vou lhe dizer, querida, acontece-lhe de viver e não saber que, ao seu lado, há um livro desses, em que toda a sua vida está exposta na ponta dos dedos. E aquilo de que antes você era inconsciente, agora mesmo, assim que você começa a ler esse livrinho, aos poucos recorda, descobre e decifra tudo. E, finalmente, veja por que mais gostei do seu livrinho: algumas obras, que causam a maior comoção, você lê, lê, às vezes pode até estourar; são tão ardilosas que você não entende nada. Eu, por exemplo, sou um tapado, sou tapado por natureza, de modo que não consigo ler obras demasiado importantes; mas isso você lê, e é como se tivesse escrito você mesmo, para dar um exemplo, é como se tivesse pego o próprio coração, seja como for, virado do avesso para as pessoas, e descrito tudo detalhadamente, é isso! E a coisa é simples, meu Deus; e como! Eu mesmo escreveria isso; por que não escreveria? Pois sinto-me absolutamente como no livrinho, e encontrei-me por vezes nas mesmas situações que, por exemplo, esse coitado do Samson Výrin²⁵. E quantos Samsons Výrins não vagam entre nós, de corações igualmente desventurados? E com que habilidade tudo é descrito! Comovi-me quase até as lágrimas, querida, ao ler que ele virou um bêbado, pecador, a ponto de perder a memória, ficar amargo e dormir o dia inteiro debaixo de um casaco de pele de ovelha, afogando a mágoa no ponche, chorando de maneira pesarosa, limpando a sujeira dos olhos com a aba do casaco ao se lembrar de sua ovelha tresmalhada, da filha Duniacha! Não, isso é natural! Pode ler; isso é natural! Isso está vivo! Eu mesmo vi, tudo isso está vivo ao meu redor; veja, Teresa, para que ir longe! Veja nosso pobre funcionário, talvez ele seja igual a Samson Výrin, apenas com outro sobrenome, *Gorchkov*. É

---

²³ Balada de Schiller (1797), traduzida para o russo por Jukóvski em 1813. (N.E.)
²⁴ Um dos *Contos do falecido Ivan Petróvitch Bélkin*, de Púchkin. (N.T.)
²⁵ Protagonista do conto *O chefe da estação*. (N.T.)

uma coisa comum, querida, pode acontecer com a senhorita e comigo. Com o conde, que mora na avenida Névski ou no cais, será a mesma coisa, só que vai parecer diferente, porque com essa gente tudo é em um tom próprio, mais elevado, mas será o mesmo, tudo pode acontecer, comigo pode acontecer a mesma coisa. Então é isso, querida, e a senhorita ainda quer se afastar de nós; pois o pecado, Várienka, pode me apanhar. A senhorita pode arruinar a mim e a si mesma. Ah, minha dileta, tire, pelo amor de Deus, da cabecinha todas essas ideias libertinas e não me dilacere em vão. E onde, meu passarinho fraco e sem penas, onde irá se alimentar, proteger-se da ruína, defender-se dos canalhas? Basta, Várienka, emende-se; não dê ouvidos a conselhos disparatados e maledicências, e leia mais uma vez seu livrinho, leia com atenção; vai lhe trazer proveito.

Falei de *O chefe da estação* a Rataziáiev. Ele me disse que tudo isso é velho, e que agora saíram uns livrinhos com imagens e diversas descrições[26]; na verdade, não captei muito bem do que ele estava falando. Concluiu, porém, que Púchkin era bom e que louvou a santa Rússia, e me disse muitas outras coisas a respeito dele. Sim, é muito bom, Várienka, muito bom; leia mais uma vez o livrinho com atenção, siga meus conselhos e faça a mim, um velho, feliz com sua obediência. Então o Senhor há de recompensá-la, minha cara, há de recompensar sem falta.

Seu amigo sincero

*Makar Diévuchkin*

---

[26] Na década de 1840, foram amplamente difundidos na Rússia os "ensaios fisiológicos". Esses ensaios ("descrições") normalmente eram acompanhados de ilustrações gráficas ("imagens") correspondentes aos "tipos", ou seja, os representantes de diversas classes e profissões. (N.E.)

## Fiódor Dostoiévski

*6 de julho*

Prezado senhor Makar Aleksêievitch!

Fedora mandou-me hoje quinze rublos de prata. Como ficou contente, a coitada, quando lhe dei três! Escrevo-lhe às pressas. Agora estou cortando o seu colete, que encanto de tecido!, amarelo com flores. Mando-lhe um livrinho; contém diversas novelas; li alguns; leia uma, com o título de *O Capote*[27]. O senhor me propõe irmos ao teatro juntos; não será muito caro? Que seja então na galeria. Já faz muito tempo que não vou ao teatro, na verdade nem me lembro quando. Só que continuo a temer, essa diversão não vai sair cara? Fedora só faz balançar a cabeça. Diz que o senhor passou a viver completamente fora das medidas; e eu mesma estou vendo isso; quanto o senhor gasta só comigo! Meu amigo, fique de olho para não acontecer uma desgraça. Fedora também me falou de uns boatos, que o senhor, ao que parece, teve uma discussão com sua senhoria por não pagá-la; temo muito pelo senhor. Bem, adeus; estou com pressa. Uma coisa pequena: vou trocar as fitas de um chapéu.

*V. D.*

P. S.: sabe, se nós formos ao teatro, vou usar meu chapéu novinho, e, nos ombros, uma mantilha negra. Vai ficar bom?

---

[27] Trata-se do terceiro volume das obras de Gógol, que saiu no começo de 1843. Nele foi publicado pela primeira vez o conto *O Capote*. (N.E.)

# Gente pobre

*7 de julho*

Prezada senhorita Varvara Aleksêievna!

... Ainda a respeito de ontem. Sim, querida, também tive uma época de caprichos. Fiquei completamente louco por aquela atrizinha, apaixonei-me por inteiro, mas isso não é nada; o mais esquisito é que quase nunca a vi, que só estive no teatro uma vez, e já fiquei gamado. Nessa época, eu era vizinho de parede de cinco jovens animados. Fiz amizade com eles, sem querer, embora sempre lhes colocasse os limites do decoro. Bem, para não ficar para trás, fazia coro a eles em tudo. Eles é que me falaram dessa atriz! Toda noite em que havia função, todo o grupo, nunca tinham um centavo para o que era necessário, dirigia-se ao teatro, à galeria, e aplaudiam, aplaudiam, aclamavam e aclamavam essa atriz, ficavam possessos! E depois não me deixavam dormir; a noite inteira falavam dela, cada um a chamava de sua Glacha[28], todos estavam apaixonados, tinham apenas essa canarinha no coração. Eu, indefeso, fui incitado por eles; naquela época, ainda era jovenzinho. Eu mesmo não sei como fui parar no teatro com eles, no quarto andar, na galeria. Ver, eu só vi uma pontinha da cortina, mas, em compensação, ouvi tudo. E a atrizinha realmente tinha uma vozinha bonitinha, sonora, melíflua, de rouxinol! Cansamos as mãos de aplaudir, gritamos, gritamos, em suma, por pouco não nos prenderam, e um de nós foi até expulso, na verdade. Cheguei em casa e parecia atordoado! No bolso, só restara um rublo, e faltavam uns bons dez dias até receber o pagamento. O que acha, querida? No dia seguinte, antes de ir ao trabalho, passei na perfumaria francesa, comprei uns perfumes e um sabonete aromático com todo o capital, nem eu sei por que comprei tudo isso então. Não jantei em casa

---

[28] Diminutivo como para os nomes Aglaia e Glafira. (N.T.)

e fiquei passando em frente à janela dela. Ela morava na avenida Névski, no quarto andar. Cheguei em casa, descansei uma horinha e fui de novo à Névski, apenas para passar por sua janelinha. Passei um mês e meio desse jeito, cortejando-a; tomava o tempo todo carruagens de aluguel e passava sempre por sua janela; fiquei todo enrolado, endividado e depois deixei de amá-la: chateei-me! Eis o que uma atriz faz com um homem direito, querida! Aliás, eu então era jovenzinho, bem jovenzinho!..

*M. D.*

*8 de julho*

Minha prezada senhorita Varvara Aleksêievna!

Apresso-me em devolver-lhe seu livrinho, recebido no dia 6 do corrente, e junto com ele, apresso-me a me explicar nesta carta. É mal, querida, é mal que a senhorita me tenha colocado em tal extremo. Perdão, querida: toda condição que cabe aos homens é determinada pelo Altíssimo; a este ele determina dragonas de general, àquele ser conselheiro titular; a um mandar, a outro submeter-se, ser resignado e temeroso. Isso é calculado de acordo com as capacidades da pessoa; uma é capaz disso, outra daquilo, e as capacidades são organizadas pelo próprio Deus. Estou já há cerca de trinta anos no serviço público; sirvo de forma impecável, tenho uma conduta judiciosa, jamais fui repreendido por desordens. Como cidadão, considero-me, de acordo com minha consciência, possuidor de defeitos, mas, ao mesmo tempo, também de virtudes. Respeito a chefia, e Sua Excelência está satisfeito comigo; e, embora até agora não me tenha mostrado sinal especial de disposição favorável, sei que está satisfeito. Servi até ficar de cabelos grisalhos; não sei o que é um pecado grande. Naturalmente, quem não tem pecados pequenos? Todos são pecadores, mesmo a senhorita, querida! Porém, nunca fui repreendido por erro ou insubordinação contra alguma determinação, tampouco fui repreendido por perturbar a ordem pública, isso nunca aconteceu; iam até me dar uma cruz, o quê! A senhorita devia ter consciência disso, querida, e ele também devia saber; já que se pôs a descrever, devia saber de tudo. Não, não esperava isso da senhorita, querida; não, Várienka! Isso é exatamente o que eu não esperava da senhorita.

Como! Afinal, depois disso, não dá mais nem para ficar quieto, no seu cantinho, seja qual for, viver sem agitar as águas, como diz o provérbio, sem mexer com ninguém, conhecendo o temor a Deus e a si mesmo, para que não mexam com você, para que não se intrometam no seu buraco e não fiquem espiando, como você se porta em casa, se, por exemplo, seu colete é bom, se a roupa de baixo é adequada; se tem botas, e com o que estão pregadas; o que você come, o que você bebe, o que você copia... E o que é que tem, querida, se eu, onde o calçamento é ruim, passar alguma vez na ponta dos pés para poupar os sapatos? Por que escrever a respeito de outra pessoa que ela passa necessidade de vez em quando, que não toma chá? Como se todos tivessem impreterivelmente que tomar chá! Por acaso fico olhando na boca de cada um para ver o que está mastigando? Quem ofendi dessa forma? Não, querida, para que ofender os outros se não mexem com você? Bem, mais um exemplo, Varvara Aleksêievna, o que significa isso: você trabalha, trabalha de forma zelosa, aplicada, ora!, a chefia o respeita (seja como for, respeita assim mesmo) e daí alguém, debaixo do seu nariz, sem nenhum motivo aparente, sem mais nem menos, arma-lhe uma pasquinada. Naturalmente, é verdade que às vezes você manda fazer alguma coisa nova, fica alegre, não dorme, mas se alegra com botas novas, por exemplo, calça-as com tamanha volúpia, é verdade, já senti isso, pois é agradável ver o próprio pé em uma bota fina e elegante, isso está descrito de forma fiel! Mas mesmo assim me espanto sinceramente por esse tal de Fiódor Fiódorovitch[29] ter deixado passar sem atenção um livrinho desses, e não tenha se defendido. Verdade que ele é um dignitário ainda jovem, e por vezes gosta de gritar; mas por que não gritar? Por que não chegar a se descompor, se precisamos que nos descomponham? Mas suponhamos, por exemplo, que se descomponha para manter o tom, bem, também é permitido para manter o tom; é preciso amestrar; é preciso intimidar; pois, isso fica entre nós, Várienka, não fazemos nada sem intimidação, todos fazemos de tudo apenas para constar que trabalhamos aqui e ali, mas do serviço em si passamos longe. E como existem diversos cargos, e cada cargo requer descomposturas absolutamente condizentes com sua posição, é natural que, depois disso, o tom da descompostura seja variado, é da ordem das coisas! Pois o mundo está assentado em darmos o tom certo de um para o outro, que cada um de nós descomponha o outro. Sem essa precaução, o mundo não se aguentaria, e não haveria ordem. Espanto-me sinceramente por Fiódor Fiódorovitch ter deixado passar tamanha ofensa sem atenção!

E para que escrever uma coisa dessas? Quem precisa disso? Por acaso algum leitor vai me fazer um capote por causa disso? Ou vai me comprar botas novas? Não, Várienka, vai terminar de ler e pedir a continuação. Às vezes você se esconde, esconde-se, oculta-se para não ser apanhado, teme por vezes mostrar o nariz, esteja onde estiver, porque estremece com os mexericos, porque, de tudo que há no mundo, armam-lhe uma pasquinada, e de repente toda a sua vida civil e familiar vai parar na literatura, está tudo impresso, lido, ridicularizado, condenado! E não poderá sequer mostrar-se na rua; pois tudo ali tudo está tão demonstrado que será reconhecido pela mera semelhança. Bem, teria sido melhor se ele se emendasse pelo menos no final, se amenizasse algo, se incluísse,

---

[29] Personagem de *O Capote*. (N.T.)

por exemplo, ainda que depois da passagem em que lhe despejam papeizinhos na cabeça; que, apesar disso tudo, ele era virtuoso, um bom cidadão, que não merecia tal tratamento de seus camaradas, que obedecia aos superiores (daí poderia haver algum exemplo), não desejava o mal a ninguém, acreditava em Deus e morreu (se queria mesmo que ele morresse) pranteado. Mas o melhor de tudo seria não deixar o coitado morrer, mas fazer com que achassem seu capote, que o general, ao saber em detalhes de suas virtudes, o transferisse para sua chancelaria, promovesse-o e lhe desse um bom ordenado, de modo que veja como seria: o mal seria punido, a virtude exaltada, e todos os seus camaradas de chancelaria ficariam sem nada. Eu, por exemplo, teria feito assim; e o que ele tem de especial, o que ele tem de bom? É um exemplo banal e infame da vida cotidiana. E como a senhorita resolveu me mandar um livrinho desses, minha cara? Pois é um livro mal-intencionado, Várienka; é simplesmente inverossímil, pois não poderia acontecer de existir um funcionário desses. Depois disso, é preciso prestar queixa, Várienka, queixa formal.

    Seu criado muito humilde,

*Makar Diévuchkin*

*27 de julho*

Prezado senhor Makar Aleksêievitch!

 Os últimos incidentes e suas cartas me assustaram, me impactaram e me deixaram perplexa, mas a narrativa de Fedora me explicou tudo.

Mas para que se desesperar tanto e de repente cair no abismo em que caiu, Makar Aleksêievitch? Suas explicações não me satisfizeram de jeito nenhum. Veja, eu não estava certa ao insistir em assumir o posto vantajoso que me ofereceram? Além disso, minha última aventura assustou-me seriamente. O senhor diz que seu amor por mim forçou-o a me esconder os fatos. Eu já via que lhe era muito devedora naquela época, quando o senhor me assegurava despender comigo apenas seu dinheiro de reserva, que o senhor dizia depositar em uma caixa de penhores, para qualquer eventualidade. Agora, então, que fiquei sabendo que o senhor não tinha mais dinheiro algum, que, ao saber casualmente da minha situação desastrosa, e tocado por ela, decidiu despender seu salário, recebendo-o adiantado, e vendeu até suas roupas quando eu estava doente, após descobrir isso tudo, estou numa situação tão aflitiva que até agora não sei como interpretar isso tudo e o que pensar a respeito. Ah! Makar Aleksêievitch! O senhor deveria ter parado em seus primeiros favores, que lhe foram estimulados pela compaixão e pelo amor consanguíneo, e não esbanjado dinheiro depois, em coisas supérfluas. O senhor traiu nossa amizade, Makar Aleksêievitch, porque não foi franco comigo, e agora que vejo que gastou o último que tinha comigo, em trajes, bombons, passeios, teatro e livros, agora pago caro por tudo isso ao lamentar minha imperdoável futilidade, pois aceitei tudo, sem me preocupar com o senhor; e tudo com que o senhor quis me propiciar satisfação converteu-se em pesar para mim, deixando apenas uma lamentação infrutífera. Reparei em sua angústia nos últimos tempos e, embora esperasse por algo, angustiada, nem me passava pela cabeça o que aconteceu agora. Como seu moral pôde descer a um grau tão baixo, Makar Aleksêievitch? Que vão pensar do senhor agora, que dirão agora a seu respeito todos que o conhecem? O senhor, que eu e todos respeitávamos pela bondade de alma, modéstia e bom senso, agora de repente foi cair em um vício tão repugnante, que antes jamais, ao que parece, tinha sido observado. O que me acometeu quando Fedora me contou que o acharam na rua, em estado de embriaguez, e levaram ao seu apartamento com a polícia! Fiquei petrificada de pasmo, embora eu esperasse algo de extraordinário, pois o senhor tinha desaparecido por quatro dias. Mas o senhor pensou, Makar Aleksêievitch, no que os seus chefes vão dizer quando ficarem sabendo do real motivo da sua ausência? O senhor diz que todos riem de si; que todos sabem de nossa ligação, e que os vizinhos fazem alusão a mim em suas zombarias. Não dê atenção a isso, Makar Aleksêievitch, e, pelo amor de Deus, acalme-se. Também estou assustada com essa sua história com os oficiais; ouvi falar dela vagamente. Explique-me, o que isso quer dizer? O senhor escreve que, se me revelasse tudo, temia perder minha amizade com sua confissão, que estava em desespero, sem saber como me socorrer em minha doença, que vendeu tudo para me amparar e não me deixar ir ao hospital, que tomou emprestado o que era possível tomar e todo dia tem contrariedades com a senhoria, mas, ao esconder tudo isso de mim, fez a pior escolha. Mas agora fiquei sabendo de tudo. O senhor se envergonhava de me dar a conhecer que eu era o motivo da sua situação infeliz, mas agora trouxe-me pesar dobrado pela sua conduta. Tudo isso me deixou espantada, Makar Aleksêievitch. Ah, meu amigo! A infelicidade é uma doença contagiosa. Os infelizes e pobres devem se afastar uns dos outros, para não se contagiar ainda mais. Trouxe-lhe uma infelicidade como o senhor não experimentara antes em sua vida modesta e solitária. Tudo isso me aflige e me arrasa.

Escreva-me agora, com franqueza, tudo que lhe aconteceu e como se decidiu a esta conduta. Tranquilize-me, se possível. Não é o amor-próprio que me leva a escrever agora sobre minha tranquilidade, mas minha amizade e amor pelo senhor, que não se apagarão de jeito nenhum de meu coração. Adeus. Aguardo sua resposta com impaciência. O senhor pensou mal de mim, Makar Aleksêievitch.

Quem o ama de coração,

*Varvara Dobrossiólova*

---

*28 de julho*

Minha inestimável Varvara Aleksêievna,

Pois bem, como agora tudo terminou, e tudo aos poucos volta à situação prévia, eis o que lhe digo, querida: a senhorita se preocupa com o que vão pensar de mim, e apresso-me a lhe informar, Varvara Aleksêievna, que a altivez é o que tenho de mais caro. Consequentemente, ao relatar-lhe minhas desgraças e todas essas desordens, notifico-lhe que ninguém da chefia ainda sabe de nada, nem vai saber, de modo que todos experimentarão por mim o mesmo respeito de antes. Só temo uma coisa: temo as fofocas. Em casa, a senhoria grita, mas agora que, com a ajuda de seus dez rublos, paguei uma parte da dívida, ela só resmunga, nada mais. No que se refere aos outros, tudo bem; basta não lhes pedir dinheiro emprestado, e está tudo bem. Concluindo minhas explicações, digo-lhe, querida, que o que mais considero no mundo é o seu respeito por mim, que me consola agora, durante minhas desordens temporárias. Graças a Deus, o primeiro golpe e os primeiros maus bocados passaram, e a senhorita não me considera um amigo traiçoeiro e egoísta por tê-la mantido comigo e a enganado, sem ter forças para me separar e amando-a como meu anjinho. Agora me lancei ao trabalho com diligência, e passei a cumprir bem minha função. Evstáfi Ivánovitch não disse uma palavra quando passei por ele, ontem. Não lhe escondo, querida, que minhas dívidas e a má situação de meu guarda-roupa estão acabando comigo, mas isso não é nada, e, quanto a isso, imploro-lhe: não se desespere, querida. A senhorita me mandou mais meio rublo, Várienka, e esse meio rublo partiu-me o coração. Veja o que virou agora, veja como é! Ou seja, não sou eu, o velho burro, quem ajuda o anjinho, mas é a senhorita, minha pobre orfãzinha, quem me ajuda! Fedora fez bem em arrumar dinheiro. Por enquanto não tenho nenhuma esperança, querida, de recebimento, mas, assim que renascer alguma esperança, escrevo-lhe a respeito detalhadamente. Mas as fofocas, as fofocas são o que me preocupa acima de tudo. Adeus, meu anjinho. Beijo-lhe a mãozinha, e imploro que sare. Não lhe escrevo detalhadamente porque me apresso para o serviço, já que desejo, com meu empenho e solicitude, expiar todas as minhas culpas por desleixo no trabalho; o relato posterior sobre todos os incidentes e a aventura com os oficiais fica adiado até a noite.

Quem a respeita e ama de coração,

*Makar Diévuchkin*

*28 de julho*

Ei, Várienka, Várienka! Agora o pecado foi mesmo da sua parte, e deve pesar na sua consciência. Com a sua cartinha, a senhorita me fez perder completamente o juízo, me desnorteou, e só agora, quando, no ócio, penetrei no íntimo de meu coração, pude ver que eu estava certo, absolutamente certo. Não estou falando do meu escândalo (já passou, querida, já passou), mas de amá-la e de não haver nada de insensato em amá-la, absolutamente nada. Querida, a senhorita não sabe de nada; se apenas soubesse por que isso tudo, por que eu devo amá-la, não diria isso. A senhorita diz isso tudo com a razão, mas estou seguro que não é absolutamente o que está em seu coração.

Minha querida, eu não sei e não me lembro bem de tudo que houve entre mim e os oficiais. É preciso observar, meu anjinho, que até então eu estava em terrível perturbação. Imagine que, por um mês inteiro, por assim dizer, eu fiquei por um fio. A situação era para lá de desastrosa. Escondi da senhorita, e em casa também, mas minha senhoria armou uma barulheira e uma gritaria. Não me importava. A mulher imprestável que gritasse, só que era uma desonra e, em segundo lugar, sabe o Senhor como, ela se inteirou de nossa ligação e gritava tanto a respeito disso pela casa inteira que eu ficava aturdido e tapava os ouvidos. Mas a questão é que os outros não tapavam, pelo contrário, abriam-nos. E, agora, querida, não sei onde me enfiar...

Veja, então, meu anjinho, isso tudo, todo esse bando de desgraças de todo tipo acabou completamente comigo. De repente, ouvi de Fedora coisas estranhas, que na sua casa apareceu um aventureiro indigno e ofendeu-a com propostas indecentes; que ele a ofendeu, ofendeu profundamente, e estou julgando por mim mesmo, querida, pois me ofendi profundamente. Daí, meu anjinho, eu me perdi, daí fiquei transtornado e me acabei completamente. Várienka, amiga, saí correndo, em fúria inaudita, queria ir atrás dele, do pecador; nem sabia o que queria fazer, pois não queria que a senhorita, um anjinho, fosse ofendida! Bem, foi triste! Naquela hora havia chuva, lama, uma angústia terrível!.. Eu já queria voltar... Daí veio a minha queda, querida. Encontrei Emeliá, ou seja, Emelian Ilitch, é um funcionário público, ou melhor, foi funcionário, mas agora não é mais, pois foi demitido da nossa repartição. Nem sei o que ele faz, passa uns maus bocados; pois fui com ele. Daí, mas que lhe importa, Várienka, por acaso é divertido ler as infelicidades de seu amigo, sua desgraça e a história das tentações que sofreu? No terceiro dia, à noite, instigado por Emeliá, fui à casa dele, do oficial. Perguntei o endereço ao nosso zelador. A propósito, querida, eu já havia reparado nesse jovem há tempos; observara-o quando ainda estava alojado em nossa casa. Agora vejo que cometi uma inconveniência, pois não estava no meu estado normal quando me falaram dele. Eu, Várienka, na verdade, não me lembro de nada; só me lembro de que na casa dele havia muitos oficiais, ou eu os via em dobro, sabe Deus. Tampouco me lembro do que falei, só sei que falei muito, em minha nobre indignação. Bem, daí me expulsaram, daí me jogaram escada abaixo, ou seja, não é que tenham mesmo jogado, só me empurraram. A senhorita já sabe, Várienka, como eu voltei; é tudo. Claro que me rebaixei, e minha altivez sofreu, mas ninguém de fora sabe disso, ninguém sabe, além da senhorita; bem, nesse caso, tanto faz o que foi e o que não foi. Talvez seja assim mesmo, Várienka, o que acha? O que sei de forma fidedigna é que, no ano passado, em nossa casa, Aksiênti Ossípovitch lançou-se da mesma forma contra a pessoa de Piotr Petróvitch, mas em segredo, fez isso em segredo. Chamou-o para o quarto do vigia, vi tudo isso por uma frestinha; daí, tomou as devidas providências, mas de forma nobre, pois ninguém viu, além de mim; e eu nada, ou seja, quero dizer que não informei ninguém. Bem, e depois disso não houve nada entre Piotr Petróvitch e Aksiênti Ossípovitch. Como a senhorita sabe, Piotr Petróvitch é muito altivo, de modo que não disse a ninguém, de modo que eles agora se cumprimentam e se dão as mãos. Não discuto, Várienka, não ouso discutir com a senhorita, caí bem fundo e, pior de tudo, perdi minha própria consideração, mas isso estava escrito em meu nascimento, esse é, com certeza, meu destino, e do destino não se foge, como a senhorita sabe. Bem, esta é a explicação detalhada de minhas infelicidades e desgraças, Várienka, tudo como foi, para ler ou não, quando quiser. Não estou muito bem de saúde, minha querida, e perdi todo o senso de humor. Assim, agora, testemunhando meu afeto, amor e respeito, permaneço, minha prezada senhorita Varvara Aleksêievna,

seu mais humilde criado,

*Makar Diévuchkin*

*29 de julho*

Prezado senhor Makar Aleksêievitch!

Li ambas as suas cartas, e quantas exclamações soltei! Ouça, meu amigo: ou está me omitindo algo, e descreveu-me apenas parte de suas contrariedades, ou... na verdade, Makar Aleksêievitch, suas cartas ainda soam algo transtornadas... Venha me visitar, pelo amor de Deus, venha hoje; mas ouça, já sabe, venha direto jantar conosco. Não sei como está vivendo aí, e como se acertou com sua senhoria. O senhor não me escreve nada a esse respeito, como se omitisse de propósito. Então até a vista, meu amigo; venha hoje, sem falta; e faria melhor se sempre viesse jantar conosco. Fedora cozinha muito bem. Adeus.

Sua

*Varvara Dobrossiólova*

# Gente pobre

*1º de agosto*

Querida Varvara Aleksêievna!

Está contente, querida, por Deus ter-lhe proporcionado a oportunidade de pagar o bem com o bem, por seu turno, e me agradecer. Creio nisso, Várienka, creio também na bondade de seu coraçãozinho angelical, e não lhe digo como reprovação, apenas não me recrimine, como já fez, por ter me embaralhado na velhice. Bem, foi um grande pecado, o que fazer? Se a senhorita quer mesmo, foi um grande pecado; só que me custa muito ouvir isso da senhorita, minha amiguinha! E não se zangue comigo por dizer isso; meu peito está todo sofrido. Gente pobre é caprichosa, por natureza. Já sentia isso antes, e agora sinto ainda mais. Ele, o pobre, é exigente; encara o mundo de Deus de forma diversa, e fita cada passante de esguelha, lança um olhar perturbado ao seu redor, apura o ouvido a cada palavra, será que não estão falando dele? Dizendo que ele é muito feioso? O que ele sente, exatamente? Como, por exemplo, ele parece deste ângulo, como parece do outro ângulo? É do conhecimento de todos, Várienka, que o pobre é pior do que um trapo e não pode merecer respeito de ninguém, escrevam o que escreverem! Que esses escrevinhadores escrevam o que quiserem! O pobre continuará como sempre foi. E por que continuará como antes? Porque, segundo eles, tudo do pobre deve estar do avesso; nada dele pode ser secreto, não pode ter altivez, não, não, não! Ora, Emeliá disse outro dia que fizeram uma subscrição em seu favor, em algum lugar, e por cada dez copeques havia uma inspeção oficial de algum tipo. Achavam que estavam lhe dando seus dez copeques de graça, mas não; estavam pagando para que lhes mostrassem um homem pobre. Hoje em dia, querida, mesmo o favor é feito de um modo esquisito... Mas talvez tenha sempre sido assim, quem sabe? Ou não sabem fazer, ou são grandes mestres, das duas, uma. Talvez a senhorita não soubesse, pois então veja! No resto não nos metemos, mas nisso somos famosos! E por que o pobre sabe isso tudo e pensa assim? Por quê? Ora, por experiência! Porque, por exemplo, ele sabe que, se tem a seu lado um cavalheiro, este vai a um restaurante e diz a si mesmo: o que esse funcionário pobretão vai comer hoje? Eu vou comer um *sauté papillote,* e ele talvez vá comer mingau sem manteiga. E é da conta dele se eu vou comer mingau sem manteiga? Existe gente assim, Várienka, existe quem só pense assim. E vão por aí, esses pasquineiros indecentes, olhando se você pisa na pedra com o pé inteiro ou só com a ponta; olhem aquele funcionário, daquele departamento, conselheiro titular, com os dedos nus saindo da bota, com os cotovelos rasgados, e depois escrevem isso tudo e imprimem esse lixo... E é da sua conta se meus cotovelos estão rasgados? Se me permitir uma palavra rude, Várienka, vou lhe dizer que o pobre, com respeito a isso, tem o mesmo pudor, para dar um exemplo, virginal da senhorita. Afinal, a senhorita não vai, perdoe minha palavrinha rude, se despir diante de todos; exatamente da mesma forma, o pobre não gosta que espiem no seu cubículo, que vejam suas relações domésticas, é isso. Para que então me ofender, Várienka, em conjunto com meus inimigos, atentando contra a honra e a ambição de um homem honrado?

E hoje na repartição eu fiquei sentado como um ursinho, como um pardal depenado, quase queimando de vergonha. Passei muita vergonha, Várienka! Você já fica naturalmente envergonhado quando os cotovelos nus transparecem pela roupa e os botões pendem por um fio. E tudo que era meu, como que de propósito, estava em tamanha desordem! O humor piora, sem querer. Como!.. O próprio Stepan Kárlovitch hoje começou a falar comigo de trabalho, falou, falou, daí, como que por acaso, acrescentou: "Mas o senhor, meu caro Makar Aleksêievitch!", nem terminou de dizer o resto em que pensava, pois adivinhei tudo sozinho, e fiquei tão ruborizado que até minha careca se ruborizou. Na verdade, não é nada, mas mesmo assim é preocupante, e provoca reflexões duras. Será que não apuraram nada? Deus me livre, mas como apuraram? Admito que desconfio, desconfio fortemente de um homem. Afinal, esses canalhas não ligam para nada! Traem! Traem a sua vida pessoal por um vintém; não têm nada de sagrado.

    Agora sei de quem isso é obra; isso é obra de Rataziáiev. Ele conhece alguém de nosso departamento, sim, e, no meio da conversa, transmitiu-lhe tudo, com acréscimos; ou, talvez, contou no seu departamento, e a coisa se arrastou até o nosso. E, no nosso apartamento, sabem de tudo, até o último detalhe, e apontam para a senhorita pela janela, com o dedo; já sei que apontam. Ontem, quando fui jantar na sua casa, todos assomaram à janela, e a senhoria disse que o diabo tinha se unido a uma criança e depois chamou-a de um nome indecente. Mas isso não é nada diante da intenção torpe de Rataziáiev de nos colocar em sua literatura, e escrever uma sátira sutil a nosso respeito; ele mesmo o disse, e boa gente me contou. Não posso nem pensar nisso, querida, e não sei o que decidir. Não há como esconder, incorremos na ira do Senhor Deus, meu anjinho! Querida, a senhorita queria me mandar um livro contra o tédio. Fora com esse livrinho, querida! O que é um livrinho? Uma invenção sobre as pessoas! O romance é um absurdo, escrito com fim absurdo, para as pessoas ociosas lerem; creia, querida, creia na minha experiência de muitos anos. E se puserem a lhe falar de um certo Shakespeare, que na literatura há um Shakespeare, esse Shakespeare também é um absurdo, tudo isso é puro absurdo, e tudo é feito apenas para pasquinada!

    Seu

*Makar Diévuchkin*

## Fiódor Dostoiévski

*2 de agosto*

Prezado senhor Makar Aleksêievitch!

    Não se preocupe com nada; o Senhor Deus permitirá que tudo se ajuste. Fedora conseguiu para si e para mim um monte de trabalho, e nós nos lançamos alegremente à obra; talvez remediemos tudo. Ela desconfia de que Anna Fiódorovna não seja alheia a todas as minhas últimas contrariedades; mas, agora, tanto faz para mim. Hoje estou extraordinariamente alegre. O senhor quer pedir dinheiro emprestado, que Deus o guarde! Depois, vai ser uma desgraça quando tiver que devolver. Melhor conviver mais conosco, venha aqui com mais frequência e não dê atenção à sua senhoria. No que se refere a seus outros inimigos, e àqueles que lhe querem mal, estou segura de que se atormenta com dúvidas em vão, Makar Aleksêievitch! Fique de olho, já lhe disse da última vez que o seu estilo está extraordinariamente truncado. Bem, adeus, até a vista. Espero-o aqui em casa, sem falta.

Sua

V. D.

*3 de agosto*

Meu anjinho Varvara Aleksêievna!

    Apresso-me em comunicar-lhe, minha vida, que me nasceram esperanças. Mas perdão, filhinha, a senhorita escreve, meu anjinho, para não fazer empréstimos? Minha pombinha, é impossível passar sem eles; pois estou mal, e a senhorita, embora bem agora, de repente já não está! Pois a senhorita é fraca; então escrevo também para dizer que é impreterivelmente necessário emprestar. Bem, agora continuo.

Observo-lhe, Varvara Aleksêievna, que na repartição sento-me ao lado de Emelian Ivánovitch. Não é o Emelian que a senhorita conhece. Este é conselheiro titular, como eu, e, em todo o nosso departamento, somos praticamente os mais velhos, os servidores mais antigos. Ele é uma alma boa, uma alma desinteressada, mas muito taciturno, sempre parecendo um verdadeiro urso. Em compensação, é eficiente, sua pena tem a pura caligrafia inglesa e, para dizer a verdade, ele não escreve pior que eu, é um homem digno! Nunca me relacionei com ele intimamente, só adeus e olá, por costume, e se, por vezes, ocorria-me de necessitar um canivete, acontecia-me de pedir, dê-me, por favor, o canivete, Emelian Ivánovitch; em suma, era apenas o requerido pela vida em comum. Pois hoje ele me disse: Makar Aleksêievitch, por que está tão pensativo? Vi que o homem me queria bem, então me abri com ele, disse é isso e aquilo, Emelian Ivánovitch, ou seja, não disse tudo, e, Deus me livre, nunca direi, porque não tenho ânimo de dizer algumas coisas, mas lhe revelei que estava no aperto, e assim por diante. "Meu caro, o senhor devia", disse Emelian Petróvitch, "tomar emprestado; devia tomar emprestado a Piotr Petróvitch, ele empresta a juros; eu tomei emprestado; e cobra juros decentes, nada onerosos". Bem, Várienka, meu coraçãozinho deu um pulo. Pensei, repensei, quem sabe o Senhor baixa em seu coração, do benfeitor Piotr Petróvitch, e ele me concede um empréstimo. Já começo a fazer as contas, pago a senhoria, ajudo a senhorita, e dou um jeito em todo o meu vestuário, que está uma vergonha: só ficar sentado já é penoso, além do que nossos zombeteiros ficam tirando sarro, que vão com Deus! E Sua Excelência passa às vezes por nossa mesa; bem, Deus me guarde de ele lançar um olhar em mim e observar que me trajo de forma indecorosa! E, para eles, o principal é a limpeza e o asseio. Talvez nem digam nada, mas morro de vergonha. Em consequência disso, contendo-me e escondendo a vergonha no bolso furado, dirigi-me a Piotr Petróvitch cheio de esperança e meio morto de expectativa, tudo junto. Pois bem, Várienka, e tudo terminou em disparate! Ele estava ocupado, falando com Fedossiei Ivánovitch. Aproximei-me de lado, e peguei-o pela manga: disse, Piotr Petróvitch, olá, Piotr Petróvitch! Ele olhou, eu continuei: disse, assim e assado, trinta rublos, etc. Inicialmente, ele pareceu não me entender, e depois, quando lhe expliquei tudo, riu e mais nada, ficou calado. Voltei a fazer a mesma coisa. E ele, para mim: tem uma caução? E se afundou em seu papel, escrevendo, sem me olhar. Fiquei algo atônito. Não, Piotr Petróvitch, eu disse, não tenho caução, mas expliquei-lhe que, assim que saísse o salário, eu o pagaria, pagaria sem falta, consideraria meu primeiro dever. Daí alguém o chamou, eu fiquei esperando, ele voltou, pôs-se a limpar a pena, como se não reparasse em mim. E eu sempre na mesma: então, Piotr Petróvitch, não tem jeito? Ele continuou calado, como se não escutasse, eu persisti, persisti, e pensei, bem, vou tentar pela última vez, e segurei-o pela manga. Ele não deu um pio, limpou a pena e pôs-se a escrever. Eu me afastei. Veja, querida, talvez todos eles sejam pessoas dignas, mas são orgulhosos, muito orgulhosos, o que é isso? O que somos para eles, Várienka? Por isso lhe escrevi isso tudo. Emelian Ivánovitch também riu e balançou a cabeça, mas, em compensação, me deu esperanças, de coração. Emelian Ivánovitch é um homem digno. Prometeu apresentar-me a um homem; esse homem, Várienka, vive em Výborgskaia[30], e também empresta a juros, é um funcionário de 14ª classe[31]. Emelian Ivánovitch diz que esse vai emprestar sem falta; e eu,

---

[30] Região de São Petersburgo. (N.T.)
[31] Grau mais baixo da hierarquia da Rússia tsarista. (N.T.)

meu anjinho, amanhã vou sem falta, hein? O que acha? Pois será uma desgraça não tomar emprestado! Minha senhoria por pouco não me expulsa do apartamento, e não concorda em me dar refeição. Minhas botas estão ruins de doer, querida, não tenho nem botão... e quanto mais não tenho! E se alguém da chefia reparar em tamanha indecência? Uma desgraça, Várienka, simplesmente uma desgraça!

*Makar Diévuchkin*

*4 de agosto*

Caro Makar Aleksêievitch!

Pelo amor de Deus, Makar Aleksêievitch, tome algum dinheiro emprestado o mais rápido possível; eu não lhe pediria ajuda por nada nas atuais circunstâncias, mas se o senhor soubesse qual é a minha situação! Não temos mais como ficar neste apartamento de jeito nenhum. Aconteceram-me contrariedades terríveis, e se o senhor soubesse como estou transtornada e nervosa agora! Imagine, meu amigo: hoje de manhã veio até aqui um desconhecido, um homem maduro, quase velho, com condecorações. Espantei-me, sem entender o que ele queria de nós. Nessa hora, Fedora tinha saído, ido até a loja. Ele pôs-se a me interrogar sobre como eu vivia e o que fazia e, sem esperar resposta, declarou-me que era o tio daquele oficial; que estava muito zangado com o sobrinho pelo mau comportamento, e por ter me difamado perante a casa inteira; disse que o sobrinho era um moleque avoado, e que estava pronto para me tomar sob sua proteção; aconselhou-me a não dar ouvido aos jovens, acrescentou que se compadecia de mim, como pai, que experimentava por mim sentimentos paternais e que estava pronto para me ajudar em tudo. Fiquei toda vermelha, não sabia nem o que pensar, mas não me apressei em agradecer. Ele me tomou à força pelo braço, deu-me um tapinha no rosto, disse que eu era muito bonita e que ele estava extraordinariamente satisfeito com minhas covinhas (Deus sabe o que ele disse!) e, por fim, quis me beijar, dizendo que já era velho (era um tamanho nojento!). Daí entrou Fedora. Ele ficou um pouco embaraçado e voltou a dizer que sentia respeito por mim, por minha modéstia e boa educação e que queria muito que eu não o evitasse. Depois chamou Fedora à parte e, fazendo propostas estranhas, quis lhe dar dinheiro. Ela, obviamente, não aceitou. Por fim, preparou-se para partir, repetiu mais uma vez todas as suas afirmações, disse que viria me visitar mais uma vez e me traria brincos (aparentemente, estava muito embaraçado); aconselhou-me a mudar de apartamento e me recomendou um maravilhoso, que ele tinha em vista e não me custaria nada; disse que gostava muito de mim por eu ser uma moça honrada e ajuizada, aconselhou-me a me precaver da juventude libertina e, por fim, declarou que conhecia Anna Fiódorovna, e que Anna Fiódorovna incumbira-lhe de me dizer que me visitaria. Daí entendi tudo. Não sei o que deu em mim; era a primeira vez na vida em que me via em tal situação; fiquei fora de mim; cobri-o de vergonha. Fedora ajudou-me e praticamente expulsou-o do apartamento. Decidimos que tudo aquilo era coisa de Anna Fiódorovna; senão, de que outro jeito ele poderia saber de nós?

Agora me volto para o senhor, Makar Aleksêievitch, e imploro-lhe socorro. Não me abandone, pelo amor de Deus, numa situação dessas! Pegue emprestado, por favor, o dinheiro que for, não temos como mudar de apartamento, e não é mais possível ficar aqui; esse também é o conselho de Fedora. Precisamos de pelo menos vinte e cinco rublos; vou lhe pagar esse dinheiro; vou ganhá-lo; Fedora vai conseguir mais trabalho nos próximo dias, de modo que, se lhe cobrarem juros maiores, não ligue e concorde com tudo. Dou-lhe tudo, apenas, pelo amor de Deus, não me deixe sem ajuda. Custa-me muito preocupá-lo agora que está nessas condições, mas o senhor é minha única esperança! Adeus, Makar Aleksêievitch, pense em mim, e que Deus lhe dê sucesso!

V. D.

*4 de agosto*

Minha pombinha Varvara Aleksêievna!

Todos esses golpes inesperados abalaram-me! Essas terríveis desgraças acabam com meu ânimo! Essa escória de bajuladores e velhotes imprestáveis, além de quererem prostrá-la no leito de doente, além disso esses bajuladores também querem dar cabo de mim. E vão dar cabo, juro que vão! Pois agora prefiro morrer a não ajudar a senhorita! Não ajudar a senhorita é minha morte, Várienka, a morte pura e simples, mas ajudando-a, a senhorita vai sair voando para longe, como um passarinho, do ninho que essas corujas, essas aves de rapina puseram a bicar. Isso é que me atormenta, querida. E a senhorita, Várienka, também é muito cruel! Por que é assim? Atormentam-na, ofendem-na, a senhorita, meu passarinho, padece, e ainda se aflige por ter que me incomodar, e ainda promete pagar a dívida com seu trabalho, ou seja, para dizer a verdade, vai se matar, com sua saúde frágil, para me reembolsar no prazo. Várienka, pense só no que está falando! Para que vai costurar, para que trabalhar, para que atormentar a pobre cabecinha com preocupações, estragar os belos olhinhos e arruinar a saúde? Ah, Várienka, Várienka, veja, minha pombinha, eu não presto para nada, e sei que não presto para nada, mas darei um jeito de prestar! Superarei tudo, arrumarei trabalho extra, copiarei vários papéis de vários literatos, vou atrás deles, vou em pessoa, vou me lançar ao trabalho; pois eles, querida, procuram bons escribas, sei que procuram, e não a deixarei se esfalfar; não lhe permitirei realizar uma intenção tão ruinosa. Meu anjinho, pegarei dinheiro emprestado sem falta, e prefiro morrer a não pegar. A senhorita escreve, minha pombinha, que não devo me assustar com juros altos, não me assusto, querida, não me assusto, agora não me assusto com nada. Querida, pedirei quarenta rublos em notas; afinal, não é muito, Várienka, não acha? Seria possível confiarem-me quarenta rublos contra minha palavra? Ou seja, quero dizer, a senhorita me considera capaz de inspirar confiança e credibilidade ao primeiro olhar? Pela fisionomia, ao primeiro olhar, podem me julgar de forma favorável? Pelo que se lembra, anjinho, sou capaz de inspirar isso? Qual a sua opinião? Sabe, estou com tanto medo, é doentio, falando francamente, doentio! De quarenta rublos, separo vinte e cinco para a senhorita, Várienka; dois para a senhoria, e o resto para gastos pessoais. Veja, eu deveria dar mais à senhoria, seria até indispensável; mas considere todo o caso, querida, repasse minhas necessidades, e verá que não é possível dar mais nada, de jeito nenhum e, consequentemente, não se deve nem falar nisso, e não precisa sequer mencionar. Com um rublo de prata, compro botas; nem sei se conseguirei aparecer amanhã no trabalho com as velhas. Um lencinho de pescoço também seria necessário, pois o velho já leva um ano; mas, como a senhorita me prometeu fazer do seu velho avental não apenas um lenço, mas também um peitilho, não vou pensar mais no lenço. De modo que há botas e lenço. Agora os botões, minha amiguinha! Afinal, há de concordar, minha pequena, que não posso ficar sem botões; e da borda do meu casaco caiu quase a metade!

## Gente pobre

Estremeço ao pensar que Sua Excelência pode reparar em tamanha desordem, e dizer, o que vai dizer! Eu, querida, nem ouvirei o que dirá; pois morro, morro, morro na hora, pego e morro só de pensar! Oh, querida! Daí ainda vão sobrar uns três rublinhos; serão para viver e para meia libra de tabaco; pois, meu anjinho, sem tabaco não posso viver, e já vão nove dias que não boto um cachimbo na boca. Com toda sinceridade, eu compraria e não lhe diria nada, mas fico com vergonha. Pois a senhorita está em tamanha desgraça, privando-se de tudo, e eu aqui me delicio com diversos prazeres; de modo que lhe digo tudo isso para não ser atormentado por remorsos de consciência. Admito-lhe francamente, Várienka, que agora me encontro em situação extremamente desastrosa, ou seja, decididamente nunca me aconteceu nada parecido. A senhoria me despreza, não tenho respeito de ninguém; a mais terrível penúria, dívidas; e, no serviço, se antes os colegas funcionários já não me faziam festa, agora, querida, não há nem o que falar. Eu o escondo, escondo escrupulosamente de todos, e me escondo, e entro no serviço de lado, de lado, afasto-me de todos. Pois só tenho força de espírito para admitir à senhorita... Pois bem, e se não der? Mas não, Várienka, melhor nem pensar nisso e não morrer de véspera com essas ideias. Escrevo isso para preveni-la, para que a senhorita não pense nisso e não se atormente com essa ideia. Ah, meu Deus, o que será então da senhorita? Verdade que então a senhorita não sairia deste apartamento, e eu estaria com a senhorita, mas não, eu não voltaria mais, simplesmente desapareceria em algum lugar, sumiria. Bem, escrevi muito, preciso me barbear, isso confere uma boa presença, e uma boa presença sempre sabe se dar bem. Bem, o Senhor proverá! Rezarei, e a caminho!

*M. Diévuchkin*

### Fiódor Dostoiévski

*5 de agosto*

Caríssimo Makar Aleksêievitch!

Se pelo menos o senhor não se desesperasse! A dor já é suficiente. Envio-lhe trinta copeques de prata; mais não consigo, de jeito nenhum. Compre o que mais precisar, para sobreviver de algum jeito pelo menos até amanhã. Não nos sobrou quase nada, e amanhã não sei o que será. É triste, Makar Aleksêievitch! Aliás, não se entristeça; não conseguiu, que fazer? Fedora diz que ainda não é uma desgraça, que podemos ficar por um tempo nesse apartamento que, mesmo se nos mudássemos, ganharíamos pouco com isso, e, se eles quiserem, vão nos encontrar em qualquer lugar. Mas, mesmo assim, é muito ruim ficar aqui agora. Se não estivesse tão triste, eu lhe escreveria algo.

Que temperamento terrível o senhor tem, Makar Aleksêievitch! Leva tudo muito a peito; por causa disso, sempre será bastante infeliz. Leio todas suas cartas com atenção, e vejo que em cada carta o senhor se aflige e preocupa comigo de uma forma que nunca se preocupa consigo. Naturalmente, todos dizem que o senhor tem um bom coração, mas eu digo que é bom demais. Dou-lhe um conselho de amiga, Makar Aleksêievitch. Sou-lhe grata, muito grata por tudo que me fez, sinto-o bastante; então julgue o que é para mim ver que o senhor, mesmo agora, depois de todas as suas desgraças, das quais fui motivo involuntário, que agora o senhor só vive por mim: por minhas alegrias, por minhas tristezas, por meu coração! Se levar tudo dos outros tão a peito e se for se compadecer tanto de todos, na verdade terá por que ser bastante infeliz. Hoje, quando veio à minha casa depois do serviço, assustei-me ao olhar para o senhor. Estava tão pálido, embrulhado, desesperado: seu rosto estava lívido, e tudo porque tinha medo de me contar seu fracasso, tinha medo de me amargurar, de me assustar, e, como viu que eu estava a ponto de rir, seu coração se aliviou quase que por completo. Makar Aleksêievitch! Não se entristeça, não se desespere, seja razoável, peço-lhe, imploro-lhe isso. Bem, está vendo que tudo ficará bem, que tudo mudará para o melhor; mas vai ser duro para o senhor viver sempre se angustiando e condoendo das penas alheias. Adeus, meu amigo; imploro que não se preocupe demais comigo.

V. D.

5 de agosto

Minha pombinha Várienka!

Ora, está bem, meu anjinho está bem! A senhorita decidiu que ainda não é desgraça eu não ter obtido dinheiro. Ora, está bem, estou calmo, estou feliz por sua conta. Estou até contente porque a senhorita não vai abandonar a mim, um velho, e ficará nesse apartamento. E, se for para dizer tudo, meu coração encheu-se todo de alegria quando eu vi que a senhorita falou tão bem de mim na sua cartinha, e rendeu homenagem aos meus elogios. Digo isso não por orgulho, mas por ver como a senhorita me ama, o quanto se preocupa com meu coração. Ora, está bem: para que falar agora de meu coração? Deixemos o coração de lado; mas a senhorita ordena que eu não seja pusilânime. Sim, meu anjinho, pode ser, eu mesmo digo que ela não é necessária, a pusilanimidade; porém, diante disso tudo, diga-me, minha querida, com que botas vou amanhã ao serviço? Então é isso, querida; e um pensamento desses pode arruinar um homem, arruinar por completo. E o principal, minha cara, é que não é por mim que me aflijo, não é por mim que sofro; para mim, tanto faz se ando sem capote e sem bota em um frio de rachar, eu suporto e aguento tudo, para mim não é novidade; sou um homem simples, pequeno, mas o que as pessoas vão dizer? Meus inimigos, todas essas más línguas vão começar a dizer: para onde vai sem capote? Afinal, é para as pessoas que uso capote, pode ser até que também calce botas por causa delas. Querida, nesse caso, as botas, minha alma, são necessárias para a manutenção de minha honra e bom nome; com botas esburacadas, as duas coisas estão perdidas, creia, querida, creia em minha reputação de muitos anos; dê ouvidos a mim, um velho que conhece o mundo e as pessoas, e não aos escrevinhadores e borra-papéis.

E eu ainda nem lhe contei em detalhes, querida, como tudo isso se deu hoje, pelo que passei hoje. E passei por tanta coisa, suportei em uma manhã mais apertos espirituais do que qualquer um suporta em um ano inteiro. Foi o seguinte: em primeiro lugar, fui bem cedinho, para pegá-lo em casa e não me atrasar para o trabalho. Hoje a chuva era tamanha, tamanho lamaçal! Minha dileta, cobri-me com meu capote, caminhava e pensava o tempo todo: "Senhor! Perdoe meus pecados e permita o cumprimento de meus desejos". Passei pela igreja de \*\*\*, fiz o sinal da cruz, arrependi-me de todos os pecados e me lembrei de que era indigno de minha parte tentar persuadir o Senhor Deus. Absorto em mim mesmo, não queria nem olhar para nada; e assim fui, sem discernir o caminho. As ruas estavam vazias, e quem eu encontrava estava muito ocupado, preocupado, e não era de admirar: quem sairia para passear tão cedo, e com um tempo daqueles? Uma turma de operários sujos veio ao meu encontro; empurraram-me, os brutos! Um acanhamento se abateu sobre mim, fiquei intimidado, e em dinheiro, para falar a verdade, não queria nem pensar, seja o que Deus quiser, seja o que Deus quiser! Na ponte Voskressiênski, uma sola descolou, de modo que nem sei como continuei a andar. Daí nosso escrivão Iermolai veio ao meu encontro, aprumou-se, parou, seguiu-me com os olhos, como se pedisse vodca; arre, meu irmão, pensei, vodca, mas que vodca? Eu estava terrivelmente cansado, detive-me, descansei um pouco e arrastei-me para a frente. Olhava ao meu redor com o propósito de que os pensamentos pudessem se prender a algo, para me distrair, tomar alento: mas não, nenhum pensamento se prendeu a nada, e eu me sujara em dobro, de modo que estava com vergonha de mim mesmo. Avistei por fim, ao longe, uma casa de madeira, amarela, com um mezanino em forma de belvedere, bem, pensei, é essa, é como Emelian Ivánovitch disse, a casa de Márkov. (Querida, esse Márkov é que empresta a juros.) Eu já não era muito senhor de mim e, embora soubesse que era a casa de Márkov, mesmo assim, perguntei ao guarda-cancela de quem é essa casa, irmão? O guarda-cancela era um grosseirão, falou de má vontade, como se estivesse zangado, entredentes, é a casa de Márkov. Esses guarda-cancelas são todos uns insensíveis, mas que me importa o guarda-cancela? Mesmo assim, foi uma impressão ruim e desagradável, em suma, uma coisa sempre puxa a outra; de tudo você extrai algo similar à sua situação, e sempre acaba sendo assim. Dei três voltas na rua, diante da casa, e quanto mais caminhava, pior ficava, não, pensava ele não vai dar, não vai dar de jeito nenhum! Sou um desconhecido, minha questão é delicada, não tenho boa figura, bem, pensei, seja como o destino decidir; só para não me arrepender depois, não serei devorado se tentar, e abri a cancela de mansinho. Daí, outra desgraça: um cãozinho vira-lata imundo e estúpido agarrou em mim; latia como um danado! E são incidentes assim, vis e mesquinhos, que sempre encolerizam a pessoa, querida, incutem-lhe a timidez e aniquilam toda a determinação que ela previamente arquitetara; de modo que entrei na casa nem vivo, nem morto, e entrei direto em outra desgraça, não discerni no escuro o que havia embaixo, junto à soleira, pisei e tropecei em uma mulher, e a mulher, que estava passando leite do tarro para o jarro, derrubou todo o leite. A mulher estúpida ganiu, matraqueou, para onde vai, meu pai, o que quer? E pôs-se a prantear a adversidade. Faço essa observação, querida, porque essas coisas sempre me acontecem nesse tipo de situação; ou seja, assim está escrito; estou sempre me enroscando em algo alheio. Uma velha bruxa finlandesa, a dona da casa, acorreu ao barulho, e dirigi-me a ela: Márkov mora aqui? Não, ela disse; parou e me deu uma boa olhada. "E o que deseja dele?". Expliquei-lhe, é isso e aquilo, Emelian Ivánovitch, e, quanto ao restante, disse que tinha um pequeno negócio. A velha chamou a filha, saiu também a filha, uma menina crescida, descalça: "chame seu pai; está lá em cima, com os inquilinos, por favor". Entrei. A sala não era nada de mais, quadros pendurados na parede, todos retratos de generais, um sofá, uma mesa redonda, resedá, balsaminas, pensei, repensei, não seria o caso de me retirar, basta, vou por bem, saio ou não? Ei, ei, querida, eu queria fugir! Melhor vir amanhã, pensei; o tempo estará melhor, vou deixar passar, hoje o leite foi derramado, e esses generais têm um ar tão zangado... Eu já estava à porta quando ele entrou, grisalho, olhinhos bem furtivos, de roupão ensebado, com uma corda na cintura. Indagou para que e como eu chegara até ele; eu disse isso e aquilo, Emelian Ivánovitch, quarenta rublos, disse; a questão é a seguinte, e não terminei de falar. Em seus olhos, vi que a questão estava perdida. "Não, não há negócio, não tenho dinheiro; e por acaso o senhor tem alguma caução?". Quis começar a explicar que não tinha caução, mas que Emelian Ivánovitch, em suma, expliquei o necessário. Ele ouviu tudo: não, disse, nada de Emelian Ivánovitch! Não tenho dinheiro. Bem, pensei, é assim, é sempre assim; eu já sabia, pressentia, bem, Várienka, simplesmente teria sido melhor se o chão se abrisse sob meus pés; um frio daqueles, os pés esfolados, um formigamento nas costas. Olhei para ele, ele olhou para mim, quase dizendo: o que foi, irmão, vá embora, aqui você não tem o que fazer, de modo que, se fosse em outra oportunidade, eu teria ficado completamente envergonhado. Mas para que o senhor precisa de dinheiro? (Veja o que perguntou, querida!) Quis abrir a boca, só para não ficar parado à toa, mas ele não escutava, não, disse, não tenho dinheiro; daria com satisfação, disse. Eu lhe propus, propus, disse, preciso de pouco, vou lhe pagar no prazo, disse, vou lhe pagar até antes do prazo, pode cobrar os juros que quiser, e eu, por Deus, pago. Nesse momento, querida, lembrei-me da senhorita, lembrei-me de todas as suas infelicidades e necessidades, lembrei-me de seu meio rublo, nada de juros, ele disse, se tivesse uma caução! Mas não tenho dinheiro, meu Deus, não tenho; daria com satisfação, disse, ainda jurou por Deus, o bandido!

Bem, depois, minha cara, não me lembro como saí, como percorri a Výborgskaia, como fui parar na ponte Voskressiênski, fiquei terrivelmente cansado, tiritando, e só às dez horas consegui aparecer no serviço. Queria me limpar da sujeira, mas Sneguiriov, o vigia, disse que não podia, que estragaria a escova, e a escova, disse, é estatal. Veja como eles são agora, querida, quer dizer que, para esses senhores, sou quase pior do que os trapos em que limpam os pés. Viu o que está acabando comigo, Várienka? Não é o dinheiro que está me acabando, mas todas essas preocupações cotidianas, todos esses sussurros, risinhos, piadinhas. Sua Excelência pode casualmente se dirigir a mim, oh, querida, meus anos dourados já passaram! Hoje reli todas as suas cartas; que triste, querida! Adeus, minha cara, que o Senhor a guarde!

*M. Diévuchkin*

P.S.: Várienka, queria lhe descrever meu pesar de forma meio brincalhona, só que, pelo jeito, não consegui, a brincadeira não deu certo. Queria agradá-la. Vou à sua casa, querida, vou sem falta, vou amanhã.

# Fiódor Dostoiévski

*11 de agosto*

Varvara Aleksêievna! Minha pombinha querida! Estou perdido, nós dois estamos acabados, os dois juntos, irremediavelmente acabados. Minha reputação, altivez, tudo perdido! Estou arruinado, e a senhorita está arruinada, querida, e a senhorita está irremediavelmente arruinada comigo! Fui eu, eu quem a arrastou à ruína! Sou perseguido, querida, desprezado, alvo de risos, e a anfitriã passou simplesmente a me xingar; gritou, gritou comigo hoje, descascou, descasou-me, botou-me para baixo de palito. E ontem, no quarto de Rataziáiev, um deles se pôs a ler em voz alta o rascunho de uma carta que eu lhe escrevi, mas caiu por acaso do meu bolso. Minha mãe, o quanto eles caçoaram! Chamaram-nos de todos os nomes, gargalharam, gargalharam, os traidores! Fui até eles e apanhei a perfídia de Rataziáiev; disse-lhe que ele era um traidor! E Rataziáiev respondeu-me que o traidor era eu, que me ocupava de diversas *conquêtes*[32]; disse, o senhor escondia isso de nós, o senhor é um Lovelace[33]; e agora todos me chamam de Lovelace, e não tenho outro nome! Ouça, meu anjinho, ouça, agora eles sabem de tudo, estão a par de tudo, sabem também da senhorita, minha cara, sabem de tudo o que for a seu respeito, sabem de tudo! E mais! Faldoni também está mancomunado com eles; hoje mandei-o à salsicharia para buscar algo; não vou, estou ocupado, disse! "Mas é sua obrigação", eu disse. "Nada disso", disse. "Não sou obrigado, o senhor não paga minha patroa, então não lhe devo obrigação." Não suportei isso, uma ofensa vinda de um mujique sem instrução, e chamei-o de imbecil; e ele, para mim: "um imbecil falando de outro". Achei que ele me dissera tamanha grosseria por estar bêbado, e disse, mujique,

---

[32] Conquista. Em francês russificado no original. (N.T.)
[33] Robert Lovelace, personagem libertino e sedutor do romance epistolar *Clarissa, ou A história de uma jovem* (1748), do autor inglês Samuel Richardson (1689-1761). (N.T.)

como você está bêbado! E ele: "Por acaso bebi a seu convite? O senhor não tem nem com o que encher a cara; fica pedinchando dez copeques a uma qualquer, e ainda acrescentou: "Arre, e ainda é fidalgo!". Veja, querida, veja aonde a coisa chegou! Dá vergonha de viver, Várienka! Como se eu fosse um doido; pior do que um vagabundo sem passaporte. Que desgraça! Estou arruinado, simplesmente arruinado! Irremediavelmente arruinado.

*M. D.*

*13 de agosto*

Caríssimo Makar Aleksêievitch! É desgraça atrás de desgraça em cima de nós, e eu mesma não sei o que fazer! O que será do senhor agora, e há pouca esperança para mim; hoje queimei a mão esquerda com o ferro de passar; deixei cair por acaso, machuquei e queimei, tudo junto. Não posso trabalhar de jeito nenhum, e Fedora já está doente há três dias. Estou aflita de tanta preocupação. Mando-lhe trinta copeques de prata; é praticamente a última quantia que temos, e Deus está vendo o quanto eu queria socorrê-lo agora em suas necessidades. É um desgosto de chorar! Adeus, meu amigo! O senhor me consolaria muito se viesse nos visitar hoje.

*V. D.*

### Fiódor Dostoiévski

*14 de agosto*

Makar Aleksêievitch! O que é que o senhor tem? Parece que não teme a Deus! Está simplesmente me enlouquecendo. Não tem vergonha? Está se arruinando, pense só na sua reputação! É um homem honrado, nobre, altivo, bem, e quando todos souberem disso? O senhor vai simplesmente morrer de vergonha! Ou não tem pena de seus cabelos brancos? Ora, tenha temor a Deus! Fedora disse que não vai mais ajudá-lo, e eu também não vou lhe dar dinheiro. A que o senhor me levou, Makar Aleksêievitch! Deve achar que não me importo com o senhor se comportar tão mal; o senhor ainda não sabe o que eu aguento por sua causa! Não posso nem passar pela nossa escada; todos ficam me encarando, apontando-me o dedo e dizendo-me coisas muito terríveis; sim, falando sem rodeios que eu *me amarrei a um bêbado*. Ouvir uma coisa dessas! Quando o trazem, todos os inquilinos daqui apontam com desprezo: vejam, dizem, trouxeram aquele funcionário. E sinto uma vergonha insuportável por sua causa. Juro que vou embora daqui. Vou para algum lugar como arrumadeira, como lavadeira, mas aqui eu não fico. Escrevi para que viesse me visitar, mas o senhor não veio. Quer dizer que o senhor não liga para minhas lágrimas e súplicas, Makar Aleksêievitch? E de onde tirou dinheiro? Pelo amor do Criador, cuide-se. Senão vai se acabar, vai se acabar por nada! Que vergonha e que vexame! Sua senhoria não quis admiti-lo ontem, o senhor passou a noite na antessala; sei de tudo. Venha à minha casa, aqui será divertido: vamos ler juntos, vamos recordar o passado. Fedora contará suas peregrinações santas. Por mim, meu pombinho, não acabe consigo e não acabe comigo. Pois eu só vivo para o senhor, fico aqui pelo senhor. E como está agora? Seja um homem nobre, firme na infelicidade; lembre-se de que pobreza não é vício. E para que o desespero; tudo isso é temporário! Deus permitirá que tudo se ajuste, apenas aguente-se agora. Envio-lhe vinte copeques, compre tabaco ou o que tiver vontade, apenas, pelo amor de Deus, não gaste com o que é nocivo. Venha à nossa casa, venha sem falta. Talvez sinta vergonha, como antes, mas não se envergonhe: é uma vergonha mentirosa. Apenas traga um arrependimento sincero. Tenha esperança em Deus. Ele vai ajeitar tudo para o melhor.

V. D.

*19 de agosto*

Varvara Aleksêievna querida!

Estou com vergonha, minha dileta Varvara Aleksêievna, coberto de vergonha. Aliás, o que há de especial nisso, querida? Por que então não alegrar um pouco o coração? Então nem penso mais das solas, pois a sola é uma besteira, e para sempre permanecerá uma mera, vil e suja sola. E as botas também são uma besteira! Os sábios gregos passavam sem botas, então por que devemos ficar mimando um objeto tão indigno? Para que ofender, para que me desprezar nesse caso? Arre! Querida, querida, encontrou um tema para escrever! E diga a Fedora que ela é uma mulher rabugenta, irrequieta, furiosa e duplamente burra, insuportavelmente burra! No que se refere a meus cabelos brancos, também está enganada a esse respeito, minha cara, pois não sou tão velho quanto acha. Emeliá manda saudações. A senhorita escreve que ficou desolada e chorou; e eu lhe escrevo que também fiquei desolado e chorei. Como conclusão, desejo-lhe toda saúde e prosperidade e, no que se refere a mim, também estou saudável e próspero, e permaneço, meu anjinho, seu amigo

*Makar Diévuchkin*

*21 de agosto*

Prezada senhorita e cara amiga,
Varvara Aleksêievna!

 Sinto que sou culpado, sinto que estou em falta com a senhorita e, na minha opinião, não há vantagem alguma em sentir isso tudo, diga a senhorita o que disser. Antes do que fiz eu já sentia isso tudo, mas meu espírito se abateu, abateu-se com a consciência da culpa. Minha querida, não sou mau nem cruel do coração; e, para dilacerar seu coraçãozinho, minha pombinha, teria que ser nem mais nem menos do que um tigre sedento de sangue, ora, e eu tenho coração de ovelha, e, como sabe, não tenho ânsia de sangue; consequentemente, meu anjinho, não sou em absoluto culpado de minha conduta, e igualmente nem meu coração, nem meus pensamentos são culpados; e já nem sei quem é culpado. É uma coisa tão obscura, querida! Enviou-me trinta copeques de prata, e depois enviou vinte; meu coração apertou ao olhar para seu dinheirinho de órfã. Queimou a mãozinha, logo vai passar fome, e escreve-me para comprar tabaco. Ora, como devo me portar nesse caso? Ou, sem escrúpulos de consciência, vou começar a roubar a senhorita, uma órfã, como um ladrão? Daí meu espírito se abateu, ou seja, no começo, sentindo sem querer que eu não prestava para nada e que não era muito melhor do que a sola de meus sapatos, considerei indecente dar-me alguma importância e, pelo contrário, considerei-me indecente e, em alguma medida, indecoroso. Bem, tendo perdido o respeito por mim mesmo, tendo me entregue à negação de minhas boas qualidades e dignidade pessoal, tudo desabou, foi a queda! Foi determinado assim pelo destino, e não sou culpado disso. Primeiro, saí para me refrescar um pouco. Daí, tudo contribuiu para a mesma coisa: a natureza estava chorosa, o tempo frio, chuva, e Emeliá apareceu por ali. Várienka, ele já penhorou tudo o que tinha, já foi tudo para o devido lugar e, quando eu o encontrei, há dois dias ele não punha nada na boca, embora ainda quisesse penhorar algo que não há como empenhar, pois não se aceita esse tipo de penhor. Ora pois, Várienka, cedi mais por compaixão pela humanidade que por inclinação própria. Foi assim que o pecado foi cometido, querida! O quanto choramos juntos! Lembramo-nos da senhorita. Ele é excelente, é um homem muito bom e bastante sensível. Sinto demais isso tudo, querida; acontecem-me essas coisas justamente porque eu sinto demais isso tudo. Sei o quanto lhe sou devedor, minha pombinha! Ao conhecê-la, passei, em primeiro lugar, a conhecer melhor a mim mesmo, e a amá-la; antes da senhorita, meu anjinho, eu era solitário, como se estivesse adormecido e não vivesse neste mundo. Meus canalhas diziam que até minha figura era indecente, e tinham nojo de mim, e eu, bem, passei a ter nojo de mim; diziam que eu era tapado, e eu realmente achava que era tapado, mas, quando a senhorita me apareceu, toda a minha vida sombria se iluminou, meu coração e alma se iluminaram, e obtive calma espiritual e fiquei sabendo que eu não era pior do que os outros; que, embora não tivesse brilho, lustro, tom, mesmo assim era um homem, um homem de coração e de ideias. Bem, mas agora, sentindo-me perseguido pelo destino, humilhado por ele, entregue à rejeição de minha dignidade pessoal, eu, desacorçoado em minha desgraça, vi meu espírito se abater. E, como agora a senhorita sabe de tudo, querida, imploro-lhe entre lágrimas não mostrar mais curiosidade sobre este tema, pois meu coração está dilacerado, amargurado, confrangido.

Testemunho-lhe, querida, meu respeito, e permaneço seu fiel.

*Makar Diévuchkin*

*3 de setembro*

Não terminei a carta passada, Makar Aleksêievitch, porque estava duro de escrever. Por vezes ocorrem instantes em que fico contente por estar sozinha, entristecer-me sozinha, angustiar-me sozinha, sem dividir com ninguém, e esses instantes começam a ser cada vez mais frequentes. Em minhas lembranças há algo inexplicável para mim, que me atrai de forma tão descontrolada, tão forte, que por algumas horas fico insensível a tudo que me rodeia, e me esqueço de todo o presente. E não há impressão em minha vida atual, seja agradável, dura ou triste, que não me remeta a algo similar em meu passado, mais frequentemente em minha infância, minha infância dourada! Mas sempre fico mal depois desses momentos. Enfraqueço de alguma forma, meus devaneios me esgotam, e minha saúde, mesmo sem isso, está se tornando cada vez pior.

Mas a manhã de hoje, fresca, ardente, brilhante, como é raro no outono daqui, animou-me, e recebi-a com alegria. Então já é outono! Como eu amava o outono no campo! Ainda era criança, mas já sentia muita coisa. Eu gostava mais da tarde de outono do que da manhã. Lembro que a dois passos de nossa casa, ao pé da montanha, havia um lago. Esse lago, é como se o visse agora, esse lago era tão amplo, claro, limpo, como cristal!

Acontecia de, se a tarde estivesse calma, o lago estar tranquilo; as árvores que cresciam à margem não se moviam, a água ficava imóvel, como um espelho. Um frescor! Um frio! O orvalho caía na grama, luzinhas brilhavam nas isbás da margem, o gado era tocado, daí eu escapulia de mansinho de casa para dar uma olhada em meu lago, e olhava. Os pescadores acendiam um feixe de ramos secos junto à água, e sua luz se espargia ao longe, bem ao longe, pela água. O céu era tão frio, azul, dividido de ponta a ponta em faixas vermelhas, de fogo, e essas faixas iam se tornando cada vez mais pálidas; a lua saía; o ar era tão sonoro, se um pássaro assustado esvoaçasse, se um junco tinisse com a brisa ligeira, ou um peixe chapinhasse na água, dava para ouvir tudo. Na água azul, erguia-se um vapor branco, fino, translúcido. Ao longe, escurecia; tudo se esvaía na neblina; mas, de perto, tudo se delineava com muita nitidez, como se tivesse sido moldado com cinzel, o bote, a margem, a ilha; um barril abandonado, esquecido na margem, balouçava de leve na água, um ramo de salgueiro de folhas amareladas enredava-se em um junco, uma gaivota retardatária esvoaçava, ora mergulhando na água fria, ora voltando a esvoaçar e se esvaindo na neblina. Eu apurava a vista, apurava o ouvido, sentia-me maravilhosamente bem! E eu ainda era um bebê, uma criancinha!..

Eu amava tanto o outono, o outono tardio, quando já colheram o cereal, terminaram todos os trabalhos, quando já começam os serões nas isbás, quando todos já esperam o inverno. Daí tudo se torna mais sombrio, o céu se recobre de nuvens, folhas amarelas estendem-se em veredas nas bordas do bosque nu, e o bosque fica azul, fica negro, especialmente à tarde, quando baixa uma neblina úmida e as árvores transparecem detrás dela, como gigantes, como fantasmas hediondos e terríveis. Se eu me atraso no passeio, separo-me dos outros, fico sozinha, apresso-me, é um horror! Fico tremendo que nem uma folha; penso, basta eu olhar e aparecerá algo terrível do oco daquela árvore; enquanto isso, o vento passa pelo bosque, zune, zumbe, uiva de forma tão queixosa, arranca uma nuvem de folhas dos galhos definhados, torce-os pelo ar, e, atrás dele, uma revoada longa, ampla e ruidosa de pássaros, com gritos selvagens e penetrantes, passa veloz, deixando o céu negro e tudo encoberto. Dá medo, e daí eu tenho a impressão de ouvir alguém, uma voz, como se alguém sussurrasse: "Corra, corra, criança, não se atrase; aqui logo vai ficar terrível, corra, criança!", o pavor chega ao coração, e eu corro e corro, de respiração presa. Chego correndo, ofegante, em casa; a casa está barulhenta, alegre; repartem trabalho entre nós, todas as crianças: debulhar ervilhas ou papoulas. Lenha úmida estala na estufa; mamãe observa, alegre, nosso trabalho alegre; a velha aia Uliana conta dos velhos tempos, ou contos assustadores de feiticeiros e mortos. Nós, crianças, apertamo-nos, amiga contra amiga, mas com um sorriso no lábio de todas. De repente, calamo-nos ao mesmo tempo... Toc-toc! Um barulho! Parece que alguém bate! Não é nada; o barulho vem da roca da velha Frólovna; quanta gargalhada! Depois, à noite, não dormimos de medo; vêm uns sonhos tão medonhos. Se acontece de acordar, não ouso me mexer, e fico tremendo debaixo do cobertor até a alvorada. De manhã, levanto-me fresca, como uma florzinha. Olho pela janela: o frio se apossou de todo o campo; a escarcha fina de outono pende nos ramos nus; o lago revestiu-se de gelo fino como uma folha; um vapor branco eleva-se do lago; pássaros alegres gritam. O sol reluz ao redor, com raios intensos, e os raios partem o gelo fino, como vidro. Está claro, reluzente, alegre! Na estufa volta a estalar o fogo; sentamo-nos todos junto ao samovar, e nosso cachorro preto, Polkan, que tiritava de frio à noite, olha pela janela e nos cumprimenta, abanando o rabo. Montado em um cavalo ágil, um mujiquezinho passa pela janela, na direção do bosque, atrás de madeira. Todos estão tão satisfeitos, tão alegres!.. Ah, como minha infância foi dourada!..

E agora desatei a chorar, como uma criança, arrebatada por minhas lembranças. Lembrei-me tudo de forma tão viva, tão viva, todo o passado ficou tão radiante na minha frente, e o presente é tão opaco, tão escuro!.. Como vai acabar, como tudo isso vai acabar? Quer saber, tenho uma convicção, uma certeza, de que morrerei neste outono. Estou muito, muito doente. Frequentemente acho que vou morrer, mas não queria de jeito nenhum morrer assim, jazer neste solo. Talvez volte a ficar de cama, como na primavera, ainda não me recuperei. Agora é muito duro para mim. Fedora hoje passou o dia inteiro fora, e eu fiquei sozinha. De algum tempo para cá, tenho medo de permanecer só; tenho sempre a impressão de que alguém está comigo no quarto, de que alguém fala comigo; especialmente quando penso em algo e de repente volto da minha meditação, fico com medo. Por isso lhe escrevi uma carta tão grande; quando escrevo, isso passa. Adeus: terminei a carta, pois não tenho papel nem tempo. Do dinheiro obtido em troca de minhas roupas e chapéu, sobrou apenas um rublo de prata. O senhor deu dois rublos de prata à senhoria; isso é muito bom; agora ela vai se calar por um tempo.

Conserte seus trajes de algum jeito. Adeus; estou muito cansada; não sei como fiquei tão fraca; a menor ocupação me esgota. Se vier trabalho, como trabalhar? Isso é que me mata.

*V. D.*

*5 de setembro*

Minha pombinha Várienka!

Hoje, meu anjinho, experimentei muitas impressões. Em primeiro lugar, minha cabeça doeu o dia inteiro. Para me refrescar, saí para passear pelo canal Fontanka. A tarde estava escura, úmida. Às cinco horas, o céu já estava se pondo, como agora! Não havia chuva, mas, em compensação, havia neblina, nada inferior a uma boa chuva. No céu, pairavam nuvens compridas, em faixas largas. Havia gente a não mais poder caminhando pelo cais, e essa gente, como que de propósito, tinha uns rostos medonhos, carregados de tristeza, mujiques bêbados, finlandesas de nariz arrebitado, botas e cabeça descoberta, operários, cocheiros, meus colegas cumprindo algum dever; menininhos, um aprendiz de serralheiro de avental listrado, macilento, mirrado, de cara lambuzada de óleo e um cadeado na mão; um soldado reformado de uma braça de altura, esse era o público. Pelo visto, àquela hora nem seria possível outro público. O canal Fontanka é navegável! Tamanha quantidade de barcos que não dá para entender como tudo isso pôde caber. Nas pontes, estavam sentadas mulheres com pães de mel molhados e maçãs podres, e essas mulheres estavam todas sujas, molhadas. É enfadonho passear no Fontanka! Granito molhado debaixo do pé, ao lado casas altas, pretas, fuliginosas; debaixo do pé neblina, sobre a cabeça também neblina. Que triste, que escura a tarde de hoje.

 Quando dobrei na rua Gorókhovaia, já tinha escurecido por completo e começavam a acender o gás. Já fazia um bom tempo que eu não ia à Gorókhovaia, nunca dava certo. Rua barulhenta! Que vendas, que lojas ricas; tudo brilha e cintila, os tecidos, as flores nas vitrines, chapéus variados com fitas. Você acha que tudo isso é só enfeite, mas não é; pois há gente que compra isso tudo e dá de presente à esposa. Que rua rica! Muitos padeiros alemães moram na Gorókhovaia; também deve ser gente muito digna. Quantas carruagens passam incessantemente; como o calçamento aguenta isso tudo? Umas carruagens suntuosas, janelas como espelhos, por dentro veludo e seda; lacaios aristocráticos de dragonas, de espada. Dei uma espiada em todas as carruagens, todas levavam damas, muito enfeitadas, talvez até princesas e condessas. Com certeza, naquela hora, estavam todas se apressando para bailes e reuniões. Seria curioso ver uma princesa, ou, em geral, uma dama célebre de perto; deve ser muito bom; nunca vi; a não ser, como agora, espiando a carruagem. Daí me lembrei da senhorita. Ah, minha pombinha, minha cara! Basta me lembrar agora da senhorita, e meu coração se confrange! Por que, Várienka, a senhorita é tão infeliz? Meu anjinho! No que a senhorita é pior do que eles todos? Comigo a senhorita é boa, maravilhosa, sábia; por que então lhe coube um destino tão perverso? Como pode sempre acontecer de uma pessoa boa encontrar-se em desamparo, e para a outra a felicidade se oferece? Sei, sei, querida, que não é bom pensar isso, que isso é livre-pensar. Mas, francamente, verdade verdadeira, por que para um, ainda no ventre materno, a gralha do destino crocita a felicidade, e o outro sai direto do internato para o mundo de Deus? Pois acontece de um João Bobo[34] frequentemente obter a felicidade. Ela diz você, João Bobo, remexa nos alforjes dos avós, beba, coma, divirta-se, você, seu isso e aquilo, pode se lamber; você merece, meu irmão, é isso! Pecado, querida, é pecado pensar assim, mas o pecado de alguma forma se intrometeu em minha alma. A senhorita também deveria andar numa carruagem dessas, minha cara, minha dileta. Generais é que captariam seu olhar benevolente, não este seu colega; andaria não de vestidinho puído de algodão, mas de seda e ouro. Não estaria magricela e mirradinha, como agora, mas teria uma figura de dar gosto, fresca, corada, robusta. E eu então seria feliz apenas de espiá-la da rua, em uma janela fortemente iluminada, ainda que avistasse apenas a sua sombra; só com a ideia de que você era feliz e contente, meu belo passarinho, eu ficaria alegre. Mas, agora, o quê? Como se não bastasse gente malvada arruinada, um ca-

---

[34] No original, *Ivánuchka-duratchok*, personagem folclórico russo que, longe de ser simplório, vence justamente por seus ardis. (N.T.)

lhorda, um vagabundo a insulta. Como ele se pavoneia de fraque, como olha para a senhorita com um lornhão de ouro, esse sem-vergonha, ele pode fazer o que bem entende, e ainda temos que ouvir seu discurso obsceno e condescendente! Basta, já chega, pombinha! E por que isso tudo? Porque a senhorita é órfã, porque é indefesa, porque não tem um amigo forte, que lhe dê um apoio decente. Afinal, que tipo de homem é esse, que tipo de gente é essa que ofende uma órfã de graça? É um lixo, não é gente, simplesmente um lixo; são apenas contabilizados como gente, mas na verdade não são, estou certo disso. Veja como são essas pessoas! Na minha opinião, minha cara, o tocador de realejo que encontrei hoje na Gorókhovaia me inspira mais respeito do que elas. Caminha o dia inteiro, esfalfa-se, espera por um mísero tostão largado para comer, mas, em compensação, é senhor de si, sustenta a si mesmo. Não quer pedir esmola; em compensação, trabalha para o prazer das pessoas, como um relógio, dizendo: é assim que posso lhes proporcionar prazer. É um mendigo, um mendigo, na verdade, sempre um mendigo; em compensação, um mendigo nobre; cansado, vegetando, mas sempre trabalha, ainda que à sua maneira, trabalha mesmo. E há muitas pessoas honradas, querida, que, embora ganhem pouco com relação à utilidade de seu trabalho, não se curvam diante de ninguém, não pedem seu pão a ninguém. Afinal, sou exatamente como esse tocador de realejo, ou seja, não sou absolutamente como ele, mas, em certo sentido, de uma forma nobre, aristocrática, sou como ele, trabalho de acordo com minhas forças, como posso. Mais não posso; se não posso, fazer o quê?

Pus-me a falar do tocador de realejo, querida, porque hoje me aconteceu de experimentar em dobro minha pobreza. Parei para olhar para o realejo. Tamanhos pensamentos insinuaram-se em minha cabeça que, para me distrair, parei. Éramos eu, uns cocheiros, uma moça e uma menina pequena, toda suja. O realejo instalou-se na frente de umas janelas. Reparei em um menino, um moleque de uns dez anos; seria bonitinho, mas tinha o ar muito doente, mirrado, usando apenas uma pequena camisa, praticamente descalço, ouvindo a música de boca aberta, oh, infância! Olhava as bonecas do alemão dançando, enquanto seus braços e pernas gelavam, ele tremia e roía a pontinha da manga. Notei que tinha um papelzinho na mão. Um senhor veio e jogou uma moeda pequena para o tocador de realejo; a moedinha caiu direto na caixa com um cercadinho, onde estava retratado um francês dançando com damas. Assim que a moedinha tilintou, meu menino agitou-se, olhando timidamente ao redor e pensando, pelo visto, que eu tinha dado o dinheiro. Correu até mim, com as mãozinhas trêmulas, a vozinha trêmula, estendeu-me o papelzinho e disse: um bilhete! Desenrolei o bilhete, pois bem, tudo que se sabe: dizia meus benfeitores, a mãe dessas crianças está morrendo, três filhos estão passando fome, então ajudem-nos agora e, assim que morrer, não me esquecerei de vocês no outro mundo, assim como vocês, meus benfeitores, não se esqueceram dos meus pintinhos neste. Bem, é isso; a questão está clara, uma questão cotidiana, mas o que posso dar-lhes? Bem, não dei nada. Mas que pena! Um menino coitadinho, azul de frio, talvez também passando fome, e não estava mentindo, ah, não, não estava; conheço essas coisas. O único mal é por que essas mães asquerosas não cuidam dos filhos e os mandam para a rua seminus, com bilhetes, em um frio desses? Talvez ela seja uma mulher estúpida, não tenha caráter; talvez não tenha ninguém para cuidar dela, então fica sentada, de pernas encolhidas, e está realmente doente. Bem, mesmo assim deveria se dirigir ao devido lugar; e, aliás, talvez seja simplesmente uma vigarista, que manda de propósito o filho faminto e mirrado para enganar o povo, e o faz adoecer. E o que o menino vai aprender com esses bilhetes? Seu coração só vai endurecer; ele anda, corre, pede. As pessoas andam, mas nunca têm tempo para ele. O coração delas é de pedra; suas palavras, cruéis. "Fora! Xô! Alto lá!" É o que ele escuta de todos, o coração da criança se endurece, e treme em vão no frio o menino, coitadinho, intimidado, como um passarinho que caiu de um ninhozinho quebrado. Enregelam-se suas mãos e pés; a respiração falha. Você olha, e ele já está tossindo; não espere muito, e a doença, como um réptil impuro, rasteja para seu peito, e depois, olhe, e a morte já está diante dele, em algum lugar, em um canto fétido, sem saída, sem socorro, essa é toda a sua vida! Veja só que vida! Oh, Várienka, que tormento é ouvir "pelo amor de Cristo", passar reto e não dar nada, dizendo-lhe: "Deus proverá". Alguns "pelo amor de Cristo" não são nada. (Há vários "pelo amor de Cristo", querida.) Um é longo, prolongado, acostumado, decorado, realmente de mendigo; ainda não é tão aflitivo não dar a esse, esse é um mendigo de longa data, antigo, mendigo de ofício, você pensa, está acostumado, vai se aguentar e sabe como se aguentar. Mas o outro "pelo amor de Cristo" é desacostumado, rude, terrível, hoje, quando eu ia pegar o bilhete do menino, havia um junto à cerca, que não estava pedindo para todos, e me disse: "Patrão, dê-me um tostão, pelo amor de Cristo!", e com uma voz tão entrecortada, rude, que estremeci com uma sensação de medo, mas não dei o tostão: não tinha. E ainda os ricos não gostam que os pobres se queixem em voz alta de sua sorte, quer dizer, eles perturbam, são importunos. E a pobreza sempre é importuna, os gemidos de fome atrapalham o sono!

Devo-lhe admitir, minha cara, que comecei a lhe descrever isso tudo, em parte, para aliviar o coração, mas principalmente para lhe demonstrar um bom exemplo do estilo de minhas composições. Pois a senhorita há de reconhecer com certeza, querida, que há algum tempo meu estilo começou a se formar. Mas, agora, acometeu-me tamanha angústia que passei a ter compaixão de meus próprios pensamentos, do fundo da alma, e embora eu mesmo saiba, querida, que essa compaixão não vai dar em nada, mesmo assim faço justiça a mim mesmo de alguma forma. E efetivamente, minha cara, com frequência você acaba consigo sem nenhum motivo, acha que não vale um tostão e se põe para baixo de uma lasca. E, para fazer uma comparação, isso talvez decorra de eu estar assustado e derreado, como esse menino coitadinho que me pediu esmola. Agora vou lhe falar por exemplos, alegoricamente; ouça-me; ocorreu-me, minha cara, de manhã cedo, apressando-me para o trabalho, de olhar para a cidade, como ela desperta, levanta-se, fumega, ferve, ruge, às vezes, diante deste espetáculo, você fica emudecido, como se tivesse levado um piparote no nariz curioso, e se arrasta por seu caminho, mais silencioso que a água, mais baixo que a grama, e abana os braços! Mas agora examine o que acontece nesses prédios pretos, fuliginosos, grandes e imponentes, penetre neles, e então julgue por si mesma se é justo desqualificar-se sem razão e cair em um embaraço indigno. Note, Várienka, que estou falando de forma alegórica, não no sentido direto. Bem, vejamos, o que há nesses prédios. Assim, em um canto esfumaçado, em um cubículo úmido qualquer, que, por necessidade, é considerado alojamento, um artesão desperta; sonhou, para dar um exemplo, a noite inteira com botas, que na véspera, por descuido, cortara demais, como se uma pessoa devesse sonhar justamente com uma porcaria dessas! Bem, mas afinal ele é um artesão, um sapateiro; é desculpável que pense sempre em seu tema. Seus filhos estão piando, a mulher passa fome; não só os sapateiros às vezes acordam assim, minha cara. Isso não seria nada, e não valeria a pena escrever a esse respeito, mas veja que circunstância se produziu, querida; lá, nesse mesmo prédio, um andar acima ou abaixo, em aposentos cobertos de ouro, uma pessoa riquíssima talvez também tenha sonhado à noite com essas mesmas botas, ou seja, com botas de outro tipo, de outro estilo, mas mesmo assim botas; pois, no sentido que aqui está subentendido, querida, todos nós, minha cara, somos um pouco sapateiros.

Isso também não seria nada, mas só é ruim que não haja ninguém junto a essa pessoa riquíssima, uma pessoa que lhe cochichasse ao ouvido que "chega de pensar nisso, de pensar só em si mesmo, de viver só para si mesmo, você não é sapateiro, seus filhos têm saúde e a mulher não tem que pedir para comer; olhe ao redor, não vê que há temas mais nobres de preocupação do que as próprias botas?" É isso que eu queria lhe dizer alegoricamente, Várienka. Talvez seja um pensamento excessivamente doentio, minha cara, mas esse pensamento às vezes ocorre, às vezes chega e, então, brota-me do coração sem querer, em palavras ardentes. E por isso não devo achar que não valho um tostão, assustando-me só de ouvir barulho e estrondo! Concluo, querida, que talvez a senhorita ache que estou lhe dizendo uma calúnia, ou que a melancolia se abateu sobre mim, ou que copiei isso de algum livrinho. Não, querida, está enganada, não é isso: tenho repulsa à calúnia, a melancolia não se abateu sobre mim e não copiei nada de livrinho nenhum, é isso!

 Cheguei em casa em um triste estado de espírito, sentei-me à mesa e esquentei a chaleira, preparando-me para sorver um copinho ou outro de chá. De repente, vi que entrava em meu quarto Gorchkov, nosso pobre locatário. Ainda pela manhã reparei que ele estava ciscando em volta dos inquilinos e queria se aproximar de mim. Digo de passagem, querida, que sua situação é incomparavelmente pior do que a minha. Como não? Mulher, filhos! De modo que, se eu fosse Gorchkov, nem sei o que faria em seu lugar! Pois bem, meu Gorchkov veio, cumprimentou, com uma lagrimazinha supurada, como sempre, em seus cílios, ele arrastava os pés, mas não conseguia proferir palavra. Acomodei-o em uma cadeira, verdade que na quebrada, pois outra não havia. Ofereci chá. Ele escusou-se, escusou-se longamente e, por fim, contudo, pegou um copo. Quis beber sem açúcar, começou novamente a se escusar, quando eu lhe assegurei que era preciso pegar açúcar, discutiu longamente, recusou, por fim colocou o menor pedacinho de açúcar no copo e pôs-se a afirmar que o chá estava extraordinariamente doce. Arre, a que depreciação a indigência leva as pessoas! "Ora, pois bem, e então, meu caro?", disse-lhe. "É o seguinte, meu benfeitor Makar Aleksêievitch, exerça a piedade do Senhor, preste socorro a uma família infeliz; as crianças e minha mulher não têm o que comer; o que significa para um pai, para mim, dizer isso!" Eu quis falar, mas ele me interrompeu: "Tenho medo de todos aqui, Makar Aleksêievitch, ou seja, não é que tenha medo, mas, assim, sabe, tenho vergonha; é tudo gente orgulhosa, que se gaba. Meu pai e benfeitor, não queria importuná-lo: sei que tem suas próprias contrariedades, sei que não pode dar muito, mas empreste o que for; ousei pedir-lhe porque conheço seu coração bom, sei que o senhor passou necessidade, que agora está experimentando adversidades e que, por isso, seu coração sente compaixão". Concluiu dizendo: "Perdoe-me pelo atrevimento e inconveniência, Makar Aleksêievitch". Respondi-lhe que ficaria feliz, de coração, mas não tinha nada, absolutamente nada. "Makar Aleksêievitch, meu pai", disse ele. "Não estou pedindo muito, mas é que (daí ele ficou todo vermelho) a mulher, os filhos, estão com fome, uns dez copeques que sejam." Bem, daí me deu um aperto no coração. Esses ganharam de mim, pensei! E, ao todo, sobravam-me vinte copeques, mas eu contava com eles: queria gastá-los amanhã, com as necessidades mais extremas. "Não, meu querido, não posso; é isso", disse. "Meu pai, Makar Aleksêievitch, seja o quanto quiser, mesmo uns dez copeques." Bem, tirei da caixa e lhe dei meus vinte copeques, querida, é sempre uma boa ação! Arre, que indigência! Entabulei uma conversa com ele: mas como o senhor, meu pai, perguntei, passa tanta necessidade e, com tanta necessidade, aluga um quarto por cinco rublos de prata? Ele me explicou que alugara há meio ano, e que pagara três meses adiantados; mas, depois, as circunstâncias foram tais que ele ficou com uma mão na frente e outra atrás, coitado. Espera, nesse meio-tempo, a conclusão de seu caso. E seu caso é desagradável. Veja, Várienka, por que ele tem que responder em juízo. Está em litígio com um mercador, que trapaceou em uma encomenda do Estado; descobriram o logro, o mercador foi julgado e envolveu em sua empreitada criminosa Gorchkov, que tinha algo a ver com aquilo. Mas, na verdade, Gorchkov é culpado apenas de incúria, de imprudência e de imperdoável descuido do ponto de vista do interesse do Estado. O caso já leva uns anos: sempre surgem obstáculos contra Gorchkov. "Das infâmias que me são imputadas", disse-me Gorchkov, "sou inocente, absolutamente inocente, inocente de trapaça e roubo". Esse caso maculou-o consideravelmente; foi excluído do serviço e, embora não o tenham considerado culpado de forma capital, enquanto não for completamente absolvido, não pode extrair do mercador uma certa soma de dinheiro que lhe é devida e está sendo disputada no tribunal. Acredito nele, mas o tribunal não acredita em sua palavra; a questão tem tantos rolos e nós que nem em cem anos será desembrulhada. Basta desembrulhar um pouco e o mercador vem com rolo em cima de rolo. Tenho interesse de coração em Gorchkov, compadeço-me dele. É um homem sem emprego; por causa da instabilidade, não é aceito em lugar nenhum; o que havia de reservas foi comido; o caso é embrulhado, mas, enquanto isso, é preciso viver; e, enquanto isso, sem mais nem menos, de forma totalmente inoportuna, nasceu um bebê, vieram despesas; o filho adoeceu, despesas, morreu, despesas; a mulher está doente; ele padece de uma doença incurável: em suma, sofre, sofre por inteiro. Aliás, diz que aguarda uma decisão favorável de seu caso em dias, e que agora não há dúvidas a esse respeito. Dá dó, dá dó, ele dá muito dó, querida! Cumulei-o de atenções. É um homem perdido, enrolado; busca proteção, de modo que o cumulei de atenções. Bem, adeus, querida, que Cristo fique com a senhorita, tenha saúde. Minha pombinha! Basta me lembrar da senhorita e é como se ministrasse um remédio à minha alma doente e, ainda que sofra pela senhorita, esse sofrimento me é leve.

Seu amigo verdadeiro,

*Makar Diévuchkin*

*9 de setembro*

Querida Varvara Aleksêievna!

Escrevo-lhe fora de mim. Estou todo alvoroçado com um evento terrível. Minha cabeça está girando. Sinto que tudo ao meu redor está girando. Ah, minha cara, o que vou lhe contar agora! Isso nós nem sequer pressentíamos. Não, não acredito que não pressentia; pressenti isso tudo. Meu coração sentiu com antecedência. Outro dia até vi algo parecido em sonho.

Veja o que aconteceu! Conto-lhe sem estilo, como o Senhor dispôs em minha alma. Cheguei hoje ao trabalho. Cheguei, sentei, escrevi. É preciso que saiba, querida, que ontem também escrevi. Pois então, ontem Timofiei Ivánovitch veio até mim e deu uma ordem pessoal, disse: esse é um papel necessário, urgente. Disse: copie, Makar Aleksêievitch, de forma limpa, rápida e cuidadosa, vai para a assinatura hoje. Devo observar-lhe, anjinho, que no dia de ontem eu estava fora de mim, não tinha vontade sequer de olhar para nada: veio-me uma tristeza, uma angústia! Frio no coração, escuridão na alma; a senhorita estava sempre em minha memória, minha pobre dileta. Bem, pus-me a copiar;

copiei bem, com limpeza, só que não sei como lhe dizer de forma exata, se foram artes do demônio, ou o destino misterioso que me foi determinado, ou simplesmente o que deveria ocorrer, eu pulei uma linha inteira; sabe o Senhor onde foi parar o sentido, simplesmente não havia nenhum. Atrasaram esse papel ontem, ele só foi levado hoje para a assinatura de Sua Excelência. Como se nada tivesse sucedido, apareci hoje na hora costumeira e me acomodei ao lado de Emelian Ivánovitch. É preciso observar, minha cara, que há algum tempo passei a me acanhar e me envergonhar duas vezes mais do que antes. Nos últimos tempos, sequer olhava para alguém. Mal rangia a cadeira de alguém e eu ficava nem vivo, nem morto. De modo que hoje me sentei, manso, encolhido, como um ouriço, e Iefim Akímovitch (um implicante como nunca houve no mundo) disse para todo mundo ouvir: por que, Makar Aleksêievitch, está sentado tão acabrunhado? Daí fez uma careta tal que todos que estavam perto dele e de mim caíram na gargalhada, obviamente, por minha causa. E continuaram! E continuaram! Tapei os ouvidos, semicerrei os olhos e continuei sentado, sem me mexer. É meu costume; assim, param mais rápido. De repente, ouvi um barulho, uma correria, um rebuliço; ouvi, meus ouvidos não se enganavam? Estavam me chamando, requisitando-me, chamavam Diévuchkin. Meu coração palpitava no peito, e não sei o que me assustava; só sei que me assustei como nunca até então em minha vida. Grudei na cadeira, como se nada estivesse acontecendo, como se não fosse comigo. Mas começaram de novo, cada vez mais perto. Daí já era bem nos meus ouvidos: Diévuchkin! Diévuchkin! Onde está Diévuchkin? Ergui os olhos; Evstáfi Ivánovitch estava diante de mim; dizia: "Makar Aleksêievitch, a Sua Excelência, rápido! O senhor fez uma desgraça com o papel!" Só disse isso, mas foi o suficiente, não é verdade, querida, que disse o suficiente? Fiquei lívido, gelado, perdi os sentidos, fui, encaminhei-me, nem vivo, nem morto. Conduziram-me através de um aposento, através de outro aposento, através de um terceiro aposento, para o gabinete, apresentei-me! Não posso lhe fazer um relato determinado de no que eu estava pensando então. Vi Sua Excelência em pé, com todos eles ao redor. Aparentemente, não cumprimentei; esqueci. Estava tão pasmado que os lábios e as pernas sacudiam. E havia motivo, querida. Em primeiro lugar, a vergonha; olhei para o espelho, à direita, e simplesmente havia motivo para enlouquecer com o que vi. E, em segundo lugar, sempre fiz de conta que eu não existia. De modo que Sua Excelência mal tinha notícia de minha existência. Talvez tivesse ouvido assim, por alto, que havia um Diévuchkin no departamento, mas jamais tivemos um convívio mais próximo.

Começou irado: "O que foi isso, meu senhor? Para onde estava olhando? Um papel necessário, necessário com urgência, e o senhor o estraga. E o senhor", daí Sua Excelência dirigiu-se a Evstáfi Ivánovitch. Só ouvi sons de palavras que me chegavam: "Incúria! Desconsideração! Causou-me contrariedades!" Quis abrir a boca por algum motivo. Quis pedir perdão, mas não podia, e fugir, não ousava tentar, e daí... Daí, querida, aconteceu algo que até agora faz com que eu mal consiga segurar a pena, de vergonha. Meu botão, o diabo que o carregue, o botão que estava por um fio, de repente despregou, saltou (eu, pelo visto, roçara nele por descuido), tilintou, rodou e foi parar direto, maldito, direto no pé de Sua Excelência, e isso no meio do silêncio geral! Essa foi toda a minha justificativa, toda a desculpa, toda a resposta, tudo que consegui dizer a Sua Excelência! As consequências foram horríveis! Sua Excelência imediatamente prestou atenção na minha figura e no meu traje. Lembrei-me do que vira no espelho: atirei-me para pegar o botão! Deu-me uma doideira! Abaixei-me, quis apanhar o botão, ele deslizava, girava, não conseguia catá-lo, em suma, destaquei-me também com relação à habilidade. Daí senti que minhas últimas forças me abandonavam, e que estava tudo, tudo perdido! A reputação toda perdida, o homem todo acabado! Daí, sem mais nem menos, em ambos os ouvidos começaram a ressoar Teresa e Faldoni. Finalmente peguei o botão, ergui-me, aprumei-me, mas, se não fosse estúpido, devia ter ficado quieto, em posição de sentido! Só que não: pus-me a pregar o botão com o fio rasgado, mas isso não bastava; eu ainda sorria, eu ainda sorria. Sua Excelência inicialmente se virou, depois olhou para mim de novo, ouvi dizer a Evstáfi Ivánovitch: "Como assim?... Olhe o estado dele!... Como ele?... O que ele?..." Ah, minha cara, o que é isso, como ele? E ainda, o que ele? Destaquei-me! Ouvi Evstáfi Ivánovitch dizer: "Não foi advertido, não foi advertido por nada, a conduta é exemplar, os vencimentos são suficientes, condizentes...", "Bem, vamos aliviar para ele de algum jeito", disse Sua Excelência. "Pagar-lhe adiantado...", "Mas ele já tomou, tomou, tomou um adiantamento de alguns meses. Verdade que as circunstâncias são essas, mas a conduta é boa, e não foi advertido, nunca foi advertido". Eu, meu anjinho, ardia, ardia no fogo do inferno! Estava morrendo! "Bem, disse Sua Excelência, alto e bom som, copie de novo, rápido; Diévuchkin, venha cá, copie de novo, sem erros; mas ouça..." Daí Sua Excelência dirigiu-se aos demais, distribuiu diversas ordens, e todos se dispersaram. Logo que se dispersaram, Sua Excelência rapidamente sacou a carteira e, de lá, cem rublos. "Tome, disse, é o que posso fazer, considere como quiser...", e enfiou na minha mão. Eu, meu anjo, sobressaltei-me, minha alma inteira sacudia; não sei o que me deu; queria agarrar-lhe a mãozinha. Mas ele ficou todo vermelho, minha pombinha, sim, não estou me afastando da verdade nem por um fio de cabelo, minha cara; ele pegou minha mão indigna e a sacudiu, como se fosse de um igual, de um general como ele. "Vá, disse, é o que posso fazer... Não cometa erros, agora a falta é compartilhada."

Agora, querida, veja o que decidi: peço à senhorita e a Fedora e, se fossem minhas filhas, ordenaria que rezassem a Deus, mas assim: que não rezassem pelo pai, mas por Sua Excelência, que rezassem diária e eternamente! Digo ainda, querida, e digo-o de maneira solene, escute-me bem, querida, juro que, por mais arrasado que estivesse de mágoa espiritual nos dias cruéis de nossa desdita, olhando para a senhorita, para as suas desgraças, e para mim, para minha humilhação e incapacidade, apesar disso tudo, juro-lhe que esses cem rublos não me são mais caros do que o fato de Sua Excelência tenha se dignado a apertar minha mão indigna, de um fiapo, de um bêbado! Com isso, devolveu-me a mim mesmo. Com esse comportamento, ressuscitou meu espírito, adocicou-me a vida para sempre, e estou firmemente convicto de que, por mais pecador que seja perante o Altíssimo, minha oração pela felicidade e bem-estar de Sua Excelência há de chegar a Seu trono!...

Querida! Agora me encontro em terrível agitação espiritual, em um alvoroço terrível! Meu coração palpita, quer saltar do peito. E estou todo debilitado. Envio-lhe quarenta rublos em notas, dou vinte à senhoria, fico com trinta e cinco: com vinte, arrumo a roupa, e separo quinze para o dia a dia. Mas, agora, todas essas impressões matinais abalam todo o meu ser. Vou me deitar. Aliás, estou calmo, bem calmo. Apenas minha alma se partiu; e ouço lá, no fundo, minha alma tremer, rachar, mexer-se. Vou à sua casa; mas agora estou simplesmente ébrio com todas essas sensações... Deus vê tudo, minha querida, minha pombinha inestimável.

Seu digno amigo,

*Makar Diévuchkin*

## Fiódor Dostoiévski

*10 de setembro*

Meu prezado Makar Aleksêievitch!

Estou indizivelmente contente com a sua felicidade e sei apreciar a virtude de seu chefe, meu amigo. Pois bem, agora o senhor vai descansar do pesar! Mas apenas, pelo amor de Deus, não volte a gastar dinheiro em vão. Viva com calma, o mais modestamente possível, e a partir deste mesmo dia comece sempre a poupar algo, para que a desgraça não volte a surpreendê-lo de súbito. Conosco, pelo amor de Deus, não se preocupe. Fedora e eu sobreviveremos de algum jeito. Por que nos mandou tanto dinheiro, Makar Aleksêievitch? Não precisamos, de jeito nenhum. Estamos satisfeitas com o que temos. Verdade que logo precisaremos de dinheiro para nos mudarmos deste apartamento, mas Fedora espera receber uma velha dívida, coisa antiga. Aliás, estou separando vinte rublos para necessidades extremas. O resto mando-lhe de volta. Guarde dinheiro, por favor, Makar Aleksêievitch. Adeus. Agora viva com tranquilidade, saudável e alegre. Gostaria de lhe escrever mais, mas sinto um cansaço horrível, ontem passei o dia inteiro sem me levantar da cama. O senhor fez bem em prometer vir. Visite-me, por favor, Makar Aleksêievitch.

*V. D.*

*11 de setembro*

Minha gentil Varvara Aleksêievna!

Imploro-lhe, minha cara, não se separe de mim agora, agora que estou absolutamente feliz e satisfeito com tudo. Minha pombinha! Não dê ouvidos a Fedora, e eu farei tudo que deseja; vou me portar bem, apenas por respeito a Sua Excelência vou me portar bem, e com distinção; voltaremos a escrever cartas felizes um ao outro, confiaremos um ao outro nossas ideias, nossas alegrias, nossas preocupações, se houver preocupações; viveremos a dois; em concórdia, e felizes. Nós nos ocuparemos de literatura... Meu anjinho! No meu destino, tudo mudou e tudo mudou para melhor. A senhoria tornou-se mais complacente, Teresa, mais sábia, e o próprio Faldoni tornou-se um pouco mais ágil. Fiz as pazes com Rataziáiev. Em minha alegria, fui até ele. Ele é um bom sujeito, de verdade, querida, e tudo de mal que disseram a respeito dele é besteira. Descobri agora que tudo era uma calúnia odiosa. Ele sequer pensou em nos descrever: ele mesmo me disse isso. Leu-me uma nova obra. E quanto a ter me chamado de Lovelace: não é xingamento, nem apelido indecente, ele me explicou. Isso foi tirado do estrangeiro, palavra por palavra, e quer dizer *sujeito ágil*, e, se quiser dizer de um jeito mais bonito, literário, quer dizer *sujeito com quem não se brinca*, é isso! E não algo diferente. Foi uma coisa inocente, meu anjinho. Eu, de burro, de tonto, ofendi-me. Mas agora já lhe pedi desculpas... E hoje o tempo está tão bom, Várienka, tão bonito. Verdade, de manhã havia uma pequena garoa, que parecia passar por uma peneira. Tudo bem! Em compensação, o ar ficou um pouco mais fresco. Fui comprar botas e comprei umas botas espantosas. Passeei pela Névski. Li *A Abelha*[35]. Ah! Esqueci de contar o principal.

Veja o seguinte:

Hoje de manhã, estava falando com Emelian Ivánovitch e Aksiênti Mikháilovitch sobre Sua Excelência. Sim, Várienka, ele não foi tão benevolente apenas comigo. Não fez favor apenas a mim, e seu bom coração é conhecido por todo mundo. Em muitos lugares erguem-se

---

[35] *A Abelha do Norte,* jornal reacionário publicado em São Petersburgo entre 1825 e 1864. (N.E.)

louvores em sua honra, e vertem-se lágrimas de gratidão. Educou uma órfã em sua casa. Teve a bondade de dar um jeito nela: casou-a com um homem conhecido, um funcionário que se encontrava junto a Sua Excelência para encargos especiais. Colocou o filho de uma viúva em uma chancelaria e distribuiu ainda muitos outros benefícios. Eu, querida, considerei minha obrigação também depositar meu óbolo, e narrei a conduta de Sua Excelência para todo mundo ouvir; contei-lhes tudo, não escondi nada. Meti a vergonha no bolso. Como ter vergonha, como ter altivez em tais circunstâncias? E ainda, em voz alta, glória às ações de Sua Excelência! Falei com entusiasmo, falei com ardor e não corei, pelo contrário, fiquei orgulhoso por ter calhado de contar aquilo. Contei tudo (silenciei apenas, prudentemente, a seu respeito) sobre minha senhoria, Faldoni, Rataziáiev, sobre as botas, sobre Márkov, contei tudo. Um ou outro riu, sim, na verdade todos riram. Isso só porque acharam algo ridículo na minha figura, ou por causa das botas, justamente por causa das botas. Pois com má intenção não poderiam fazer isso. A juventude é assim, ou é porque é gente rica, mas jamais poderiam ridicularizar minha fala com má intenção. Ou seja, algo por causa de Sua Excelência, isso não poderiam fazer, de jeito nenhum. Não é verdade, Várienka?

Até agora não consegui me recuperar, querida. Todos esses eventos me perturbaram tanto! Vocês têm lenha? Não vá se resfriar, Várienka; não custa nada ficar resfriada. Oh, minha querida, a senhorita me arrasa com seus pensamentos tristes. Rezo a Deus, como rezo a Deus pela senhorita, querida! Por exemplo, tem meias de lã ou qualquer roupa quente? Fique de olho, minha pombinha. Caso precise de algo, por amor ao Criador, não ofenda um velho. Venha direto e reto até mim. Agora o tempo ruim passou. Quanto a mim, não se preocupe. Adiante é tudo claro, belo!

## Gente pobre

 E foi um tempo triste, Várienka! Mas tanto faz, passou! Os anos passarão e, ao lembrar esse tempo, soltaremos um suspiro. Lembro-me da minha juventude. E como! Às vezes não havia um copeque. Passava frio, passava fome, mas estava alegre, só isso. De manhã, passeava pela Névski, encontrava um rosto bonitinho, e ficava o dia inteiro feliz. Uma época esplêndida, esplêndida, querida! É bom viver neste mundo, Várienka! Especialmente em São Petersburgo. Com lágrimas nos olhos, ontem me confessei perante o Senhor Deus, para que o Senhor me perdoasse todos os pecados do tempo triste: queixumes, ideias liberais, escândalo e arrebatamento. Na oração, lembrei-me da senhorita com comoção. Só a senhorita, meu anjinho, me fortaleceu, só a senhorita me consolou, admoestou-me com bons conselhos e exortações. Isso, querida, jamais poderei esquecer. Beijei todos os seus bilhetinhos hoje, minha pombinha! Bem, adeus, querida. Dizem que vendem roupas em algum lugar, não longe daqui. Então vou me inteirar. Adeus, anjinho. Adeus.

 Do seu devotado de alma,

*Makar Diévuchkin*

*15 de setembro*

Prezado senhor Makar Aleksêievitch!

 Estou toda em uma agitação horrível. Ouça o que nos aconteceu. Pressinto algo funesto. Julgue por si mesmo, meu amigo inestimável: o senhor Býkov está em São Petersburgo. Fedora se encontrou com ele. Vinha de *drójki*[36], mandou parar, aproximou-se de Fedora e pôs-se a inquirir onde ela morava. Ela, inicialmente, não disse. Depois ele disse, rindo, que sabia quem morava com ela. (Pelo visto, Anna Fiódorovna contou-lhe tudo.) Então Fedora não aguentou e, na rua mesmo, pôs-se a recriminá-lo, a repreendê-lo, disse-lhe que era um homem sem moral, que ele era a causa de todas as minhas infelicidades. Ele respondeu que, quando não tem um tostão, a pessoa, obviamente, é infeliz. Fedora disse-lhe que eu teria sabido viver de meu trabalho, teria podido me casar, ou buscar um posto qualquer, mas agora minha felicidade estava perdida para sempre, que eu ainda por cima estava doente e morreria logo. A isso ele observou que eu ainda era bastante jovem, que minha cabeça ainda fermentava, e que nossas virtudes também tinham se extinguido (palavras dele). Fedora e eu achávamos que ele não sabia de nosso apartamento quando, de repente, ontem, assim que eu saí para as compras no Gostíny Dvor, ele entrou em nosso quarto; aparentemente, não desejava me surpreender em casa. Interrogou Fedora longamente sobre nosso dia a dia; examinou tudo em nossa casa; deu uma olhada em meu trabalho, por fim perguntou: "Que funcionário é esse que vocês conhecem?" Nessa hora, o senhor estava passando pelo pátio; Fedora apontou o senhor; ele olhou e riu; Fedora pediu-lhe para sair, disse que eu já estava bem doente por minhas amarguras, e que o ver em nossa casa me desagradaria muito. Ele se calou; disse que viera por não ter o que fazer e quis dar a Fedora vinte e cinco rublos; ela, obviamente, não aceitou. O que isso quer dizer? Para que ele veio à nossa casa? Não consigo entender como ele sabe tudo a nosso respeito. Perco-me em conjecturas. Fedora diz que Aksínia, sua cunhada, que

---

[36] Carruagem leve, aberta, de quatro rodas. (N.T.)

vem à nossa casa, conhece Nastássia, a lavadeira, e o primo de Nastássia é vigia do departamento em que trabalha um conhecido do sobrinho de Anna Fiódorovna, não teria a fofoca se espalhado assim? Aliás, é bem possível que Fedora esteja enganada; não sabemos o que pensar. Será que ele vem aqui de novo? A mera ideia me horroriza! Quando Fedora me contou tudo isso ontem, fiquei tão assustada que por pouco não desfaleci de pavor. O que mais eles desejam? Agora não quero mais conhecê-los! Por que vêm atrás de mim, uma coitada? Ah! Com que pavor estou agora; acho que a cada minuto Býkov vai chegar. O que será de mim? O que o destino ainda está me preparando? Por Cristo, venha aqui agora mesmo, Makar Aleksêievitch. Venha, pelo amor de Deus, venha.

*V. D.*

*18 de setembro*

Querida Varvara Aleksêievna!

No dia de hoje, aconteceu em nosso apartamento um evento triste a não mais poder, absolutamente inexplicável e inesperado. Nosso pobre Gorchkov (é preciso observar-lhe isso, querida) foi completamente absolvido. A decisão já saíra há tempos, mas hoje ele foi ouvir a resolução definitiva. O caso se encerrou de forma muito feliz para ele. Ele era acusado de incúria e imprudência, foi plenamente absolvido disso tudo. Condenaram o mercador a pagar em seu favor determinada soma de dinheiro, de modo que suas circunstâncias melhoraram fortemente, limparam a mancha de sua honra, e tudo ficou melhor, em suma, seu desejo obteve a mais completa satisfação. Hoje ele chegou em casa às três horas. Estava lívido, pálido como uma toalha, os lábios tremiam, e ele sorria, abraçou a esposa, os filhos. Fomos todos saudá-lo, em bando. Ele estava bastante comovido com nossa conduta, inclinou-se para todos os lados, apertou algumas vezes a mão de cada um de nós. Tive até a impressão de que ele crescera, aprumara-se, e já não tinha lagrimazinhas nos olhos. Estava numa tremenda agitação, o coitado. Não conseguia ficar dois minutos parado no lugar; segurava as mãos de quem aparecesse na frente, depois largava de novo, sorria e se inclinava sem parar, sentava-se, levantava-se, voltava a se sentar, dizia sabe Deus o quê, dizia: "Minha honra, meu bom nome, meus filhos", e como falava! Chegou até a chorar. A maior parte de nós também verteu lágrimas. Rataziáiev visivelmente queria animá-lo e disse: "O que é a honra, meu pai, quando não há o que comer; o dinheiro, meu pai, o dinheiro é o mais importante; agradeça a Deus por isso!" E lhe deu um tapinha no ombro. Tive a impressão de que Gorchkov se ofendeu, ou seja, não que tenha manifestado diretamente sua insatisfação, mas só fez lançar um olhar algo estranho a Rataziáiev e tirar-lhe a mão do ombro. Mas antes isso não teria acontecido, querida! Aliás, há diversos temperamentos. Eu, por exemplo, não me mostraria tão orgulhoso com uma alegria dessas; afinal, minha cara, às vezes você manifesta reverência e humildade excessiva por nada além de um acesso de bondade espiritual, e demasiada suavidade de coração... Mas, aliás, a questão não sou eu! "Sim, disse ele, o dinheiro também é bom; graças a Deus, graças a Deus!", e, depois, o tempo todo em que estivemos com ele, repetiu: "Graças a Deus, graças a Deus!..." Sua esposa encomendou um jantar mais fino e mais farto. Nossa senhoria em pessoa foi quem cozinhou. Nossa senhoria é, em parte, uma boa mulher. E, até o jantar, Gorchkov não conseguiu ficar sentado. Andou por todos os quartos, tivesse sido chamado ou não. Entrava, sorria, sentava-se numa cadeira, dizia algo, ou às vezes nem dizia nada, e saía. No quarto do aspirante da Marinha, até pegou umas cartas; chamaram-no para uma partida a quatro. Ele jogou, jogou, proferiu umas bobagens no jogo, participou de umas três, quatro rodadas e parou de jogar. "Não", disse, "é que eu sou assim, eu", ele disse, "sou apenas assim", e saiu dali. Encontrou-me no corredor, tomou ambas as minhas mãos, fitou-me diretamente nos olhos, só que de um jeito muito esquisito; apertou a minha mão e se afastou, sempre sorrindo, mas de um jeito algo pesado, um sorriso estranho, como de um morto. Sua mulher chorava de felicidade; estavam alegres como em dia de festa. Jantaram rápido. Depois do jantar, ele disse à mulher: "Ouça, minha alma, vou me deitar um pouco", e foi até a cama. Chamou a filha, colocou a mão em sua cabecinha, e acariciou por muito, muito tempo a cabecinha da criança. Depois virou-se para a mulher: "E o Pétienka? Nosso Pétia", disse, "o Pétienka?..." A mulher fez o sinal da cruz e respondeu que estava morto. "Sim, sim, sei, sei de tudo, Pétienka agora está no reino dos céus". A mulher viu que ele estava fora de si, que o evento havia-o transtornado por completo, e lhe disse: "Deveria dormir, minha alma." "Sim, está bem, agora mesmo... um pouco", daí ele se virou, ficou um pouco deitado, depois se virou, queria dizer algo. A mulher não ouviu, perguntou-lhe: "O que, meu amigo?" Mas ele não respondeu. Ela esperou um pouco, bem, pensou, adormeceu, e foi até a senhoria, por uma horinha. Voltou uma hora depois, viu que o marido ainda não tinha acordado e estava deitado, sem se mover. Ela achou que ele estava dormindo, sentou-se e se pôs a fazer um trabalho. Ela conta que trabalhou por meia hora, e ficou tão absorta em reflexões que nem se lembra no que pensou, diz apenas que se esqueceu do marido. Só que, de repente, voltou a si, depois de uma sensação perturbadora, e o que mais a surpreendeu foi o silêncio sepulcral do quarto. Olhou para a cama e viu que o marido estava deitado sempre na mesma posição. Aproximou-se dele, tirou o cobertor, olhou, e ele estava frio; morreu, querida, Gorchkov morreu, de morte súbita, como que fulminado por um raio! E do que morreu Deus é que sabe. Isso me abalou tanto, Várienka, que até agora não consegui me recuperar. Não dá para acreditar que uma pessoa possa morrer assim, tão simplesmente. Foi um infeliz, um pobre coitado esse Gorchkov! Ah, que destino, que destino! A mulher está em lágrimas, muito assustada. A menina se enfiou em algum canto. Agora lá está a maior barafunda; vão fazer a perícia médica... Não sei lhe dizer ao certo. Mas dá dó, ah, que dó! É triste pensar que, de fato, você não sabe nem o dia, nem a hora... Morre assim, por nada...

Do seu,

*Makar Diévuchkin*

*19 de setembro*

Prezada senhorita Varvara Aleksêievna!

Apresso-me em informar-lhe que Rataziáiev achou trabalho para mim com um autor. Alguém foi até ele, trazendo um manuscrito bem grosso, graças a Deus, é muito trabalho. Só que a letra é tão ilegível que não sei como fazer; requerem urgência. Sobre o que ele escreve não dá para entender... Combinamos 40 copeques por folha. Escrevo-lhe tudo isso, minha cara, para mostrar que agora haverá dinheiro extra. Bem, agora adeus, querida. Vou direto para o trabalho.

Seu amigo fiel,

*Makar Diévuchkin*

*23 de setembro*

Meu querido amigo Makar Aleksêievitch!

Já faz três dias, meu amigo, que não escrevo nada, e tive muitas, muitas preocupações, muitas inquietações.

Há três dias, Býkov esteve em minha casa. Eu estava sozinha, Fedora tinha ido a algum lugar.

Abri para ele, e fiquei tão assustada ao vê-lo que não conseguia sair do lugar. Sentia que estava pálida. Ele entrou com seu costumeiro riso alto, pegou uma cadeira e sentou. Fiquei muito tempo sem conseguir me recobrar, por fim sentei-me no canto, para trabalhar. Ele logo parou de rir. Aparentemente, meu aspecto deixou-o perplexo. Emagreci tanto nos últimos tempos; minhas faces e olhos afundaram, eu estava pálida como papel... De fato, era difícil me reconhecer, para quem me conheceu um ano atrás. Ele me fitou fixamente por muito tempo, por fim voltou a se animar. Disse-me alguma coisa; não me lembro do que lhe respondi, e ele voltou a rir. Ficou uma hora inteira em casa; falou longamente comigo; interrogou-me sobre diversos assuntos. Por fim, à despedida, tomou-me pela mão e disse (escrevo-lhe palavra por palavra):

"Varvara Aleksêievna! Que fique entre nós, mas Anna Fiódorovna, sua parente e minha conhecida e amiga íntima, é uma mulher muito baixa". (Daí ele a chamou de outras palavras indecentes.) "Ela desencaminhou a sua prima, e arruinou a senhorita. De minha parte, nesse caso também me revelei um patife, mas, enfim, coisas da vida." Daí gargalhou a não mais poder. Depois observou que não era um mestre de falar bem, e que o principal, o que precisava ser explicado, o que o dever de nobre o obrigava a não calar, ele já havia declarado, e que, em breves palavras, abordaria o restante. Daí me declarou que pediria a minha mão, que considerava seu dever restituir-me a honra, que era rico, que depois do casamento me levaria à sua aldeia na estepe, que queria caçar lebres por lá; que nunca mais voltaria para São Petersburgo, porque Petersburgo é sórdida, que aqui em Petersburgo ele tem, em suas próprias palavras, um sobrinho imprestável, que ele jurou privar de herança, e especialmente por isso, ou seja, desejando ter herdeiros legítimos, pediria a minha mão, que esse era o motivo principal de seu matrimônio. Depois observou que eu vivo de um jeito muito pobre, que não é surpresa eu estar doente vivendo em tal casebre, vaticinou-me morte inevitável se continuasse mais um mês assim, disse que em São Petersburgo os apartamentos são sórdidos e, por fim, perguntou se eu não precisava de nada.

Fiquei tão perplexa com sua proposta que, sem saber por quê, pus-me a chorar. Ele tomou minhas lágrimas por gratidão e disse que sempre estivera convicto de que eu era uma moça boa, sensível e sábia, e que, aliás, antes de se decidir por esta medida, apurou meu comportamento atual em todos os detalhes. Depois indagou a seu respeito, disse que ouvira de todos que o senhor é um homem nobre e direito, que ele, de sua parte, não quer ser seu devedor, e se quinhentos rublos seriam suficientes por tudo que o senhor fez por mim. Quando eu lhe expliquei que não há dinheiro que pague o que o senhor fez por mim, ele disse que é besteira, que tudo isso é romance, que eu ainda sou nova e leio versos, que os romances arruínam as moças jovens, que os livros só fazem estragar a moral e que ele não pode suportar quaisquer livros; aconselhou-me a chegar à idade dele para daí falar das pessoas; "então, acrescentou, vai conhecer as pessoas". Depois disse para eu ponderar direitinho sobre a proposta, que seria bastante desagradável se eu desse um passo tão importante de forma irrefletida, acrescentou que a irreflexão e o arrebatamento arruínam a juventude inexperiente, que desejava extraordinariamente uma resposta favorável de minha parte e que, finalmente, caso contrário, seria forçado a se casar com uma mercadora de Moscou, pois, dizia, jurara privar o pulha do sobrinho da herança. Enfiou-me à força na mão quinhentos rublos, dizendo que era para bombons; disse que no campo eu ficaria cheia como uma panqueca, que na casa dele rolaria como queijo na manteiga, que agora tinha uma quantidade terrível de afazeres, que se arrastara o dia inteiro a negócios e que, entre um e outro, acorrera a mim. Então saiu. Pensei longamente, repensei bastante, atormentei-me de pensar, meu amigo, e por fim decidi. Meu amigo, vou me casar com ele, devo concordar com sua proposta. Se alguém pode me livrar de minha ignomínia, restituir-me meu nome honrado, prevenir minha futura pobreza, carestia e infelicidade, é apenas ele. O que devo esperar do porvir, o que ainda perguntar ao destino? Fedora diz que não devo renunciar à felicidade; diz... Mas o que, nesse caso, é a felicidade? Eu, pelo menos, não encontro outro caminho para mim, meu amigo inestimável. Que vou fazer? Arruinei completamente a saúde com o trabalho; não posso trabalhar constantemente. Trabalhar para outras pessoas? Vou me consumir de angústia, não sirvo para ninguém. Sou enfermiça por natureza e, por isso, sempre serei um fardo para os outros. Claro que agora não estou indo para o paraíso, mas o que fazer, meu amigo, que vou fazer? Que escolha tenho?

Não lhe pedi conselho. Queria refletir sozinha. A decisão que o senhor leu agora é irrevogável, e vou comunicá-la sem tardar a Býkov, que de qualquer forma apressa-me a uma solução definitiva. Disse que seus negócios não podem esperar, que precisa partir e que não vai adiá-los por ninharias. Sabe Deus se eu serei feliz, meu destino está em Seu poder sagrado e insondável, mas decidi. Dizem que Býkov é um homem bom; vai me respeitar; talvez eu também o respeite. O que mais esperar de nossas bodas?

Informei-lhe de tudo, Makar Aleksêievitch. Estou certa de que há de compreender toda a minha angústia. Não me desvie de minha intenção. Seus esforços serão vãos. Pese em seu coração tudo o que me coagiu a agir assim. No começo, fiquei muito inquieta, mas agora estou mais calma. O que há pela frente, não sei. O que tiver que ser, será; como Deus mandar!..

Býkov chegou; deixo a carta inacabada. Ainda queria lhe dizer muita coisa. Býkov já está aqui!

*V. D.*

*23 de setembro*

Querida Varvara Aleksêievna!

Eu, querida, apresso-me em responder-lhe; eu, querida, apresso-me em declarar-lhe que estou atônito. Isso tudo não é muito certo… Ontem nós enterramos Gorchkov. Sim, é isso, Várienka, é isso; Býkov portou-se de forma nobre; só que veja, minha cara, a senhorita também concorda. Claro, em tudo está a vontade de Deus; é assim, impreterivelmente tinha que ser assim, ou seja, a vontade de Deus impreterivelmente tem que ser essa; a providência do Criador celestial, naturalmente, é boa e insondável, o destino também, e eles são a mesma coisa. Fedora também se interessa pela senhorita. Claro que a senhorita agora será feliz, querida, estará satisfeita, minha pombinha, minha dileta, meu bem, meu anjinho, só que veja, Várienka, por que tão rápido?... Sim, os negócios... O senhor Býkov tem negócios, claro, quem não tem negócios, e também podem lhe acontecer... Eu o vi, quando estava saindo de sua casa. É um homem vistoso, vistoso; até muito vistoso. Mas tudo isso não é muito certo, a questão não é exatamente se ele é um homem vistoso, mas agora estou fora de mim. Só que como agora vamos escrever cartas um ao outro? E eu, então vou ficar sozinho? Meu anjinho, pesei tudo, pesei tudo, como a senhorita me escreveu, pesei tudo isso em meu coração, esses motivos. Eu já terminara de copiar doze folhas quando esses eventos se abateram sobre mim! Querida, a senhorita vai embora, então precisa fazer diversas compras, diversos sapatos, vestidos, e eu, a propósito, conheço uma loja na Gorókhovaia; lembra-se de como eu a descrevi? Mas não! Como assim, querida, o que é isso? A senhorita não pode partir agora, é absolutamente impossível, não pode de jeito nenhum. Afinal, precisa fazer grandes compras e arrumar uma carruagem. Além disso, agora o tempo está ruim; veja, está chovendo a cântaros e uma chuva tão molhada e ainda... E ainda vai passar frio, meu anjinho; seu coraçãozinho estará com frio! Afinal, a senhorita tem medo do homem estranho, e partirá. Como vou ficar aqui sozinho? Mas Fedora diz que uma grande felicidade a aguarda... Bem, é uma mulher descarada, e quer me arruinar. Vai partir hoje na hora das vésperas, querida? Queria vê-la. É verdade, querida, absoluta verdade que a senhorita é uma moça sábia, virtuosa e sensível, mas seria melhor ele se casar com a mercadora! O que acha, querida? Melhor se casar com a mercadora! Assim que escurecer, minha Várienka, dou uma passada aí, de uma horinha.

Atualmente, escurece cedo, daí eu vou. Eu, querida, passarei impreterivelmente uma horinha aí. Agora está esperando Býkov, mas, assim que ele sair... Espere, querida, vou passar...

*Makar Diévuchkin*

*27 de setembro*

Meu amigo Makar Aleksêievitch!

O senhor Býkov disse que eu impreterivelmente tenho que ter dúzias de camisa de tecido holandês. É preciso encontrar costureiras para duas dúzias o mais rápido possível, e temos muito pouco tempo. O senhor Býkov está zangado, diz que faço uma algazarra horrível com esses trapos. Nosso casamento é em cinco dias, e no dia seguinte partimos. O senhor Býkov está com pressa, diz que não é preciso perder tanto tempo com besteiras. Os afazeres me esgotaram e mal me aguento nas pernas. É uma montoeira terrível de trabalho e, na verdade, seria melhor se não tivesse nada disso. E ainda: não temos *blonde*[37] nem rendas de algodão, de modo que seria necessário comprar, pois o senhor Býkov diz que não quer que sua mulher se vista como uma cozinheira, e que eu impreterivelmente devo "passar a perna em todas as mulheres de fazendeiro". Ele diz isso. Então, Makar Aleksêievitch, dirija-se, por favor, à madame Chiffon, na Gorókhovaia, e peça, por favor, que nos mande costureiras e que, em segundo lugar, venha em pessoa. Hoje estou doente. Nosso

---
[37] Rendas de seda. Em francês russificado no original. (N.T.)

novo apartamento é muito frio e está em desordem horrível. A tia do senhor Býkov mal respira, de tão velha. Temo que morra antes de nossa partida, mas o senhor Býkov diz que não é nada, que vai se recuperar. Nossa casa é uma desordem horrível. O senhor Býkov não mora conosco, os empregados todos debandaram, sabe Deus para onde. Acontece de apenas Fedora nos servir; e o criado do senhor Býkov, que inspeciona tudo, já faz três dias que se meteu não se sabe onde. O senhor Býkov sai toda manhã, está sempre zangado, e ontem bateu no administrador da casa, e por isso teve contrariedades com a polícia... Eu não tinha por quem enviar-lhe minhas cartas. Escrevo-lhe pelo correio municipal. Sim! Estava quase me esquecendo do principal. Diga a madame Chiffon para trocar as *blondes* sem falta, de acordo com as amostras de ontem, e que venha me mostrar em pessoa sua nova escolha. E diga ainda que mudei de ideia quanto ao *canezou*[38]; que deve ser feito de crochê. E ainda: as letras dos monogramas nos lenços devem ser bordadas em *tambourv*[39]; entendeu? Em *tambour*, e não em ponto cheio. Veja, não vá esquecer do *tambour*! E estava quase me esquecendo! Transmita-lhe, pelo amor de Deus, que as folhinhas de pelerine sejam bordadas em relevo, as gravinhas e espinhos em *cordonnet*[40], e depois faça o colarinho de renda, ou de falbalá largo. Por favor, transmita, Makar Aleksêievitch.

Da sua,

V. D.

P. S.: fico tão envergonhada por atormentá-lo o tempo todo com minhas encomendas. Há três dias já passou a manhã inteira correndo.

---

[38] Corpete sem mangas. Em francês russificado no original. (N.T.)
[39] Do francês *tambour à broder*, bastidor ou cosedor. (N.T.)
[40] Fio retorcido de algodão ou viscose. Em francês no original. (N.T.)

Mas o que fazer? Não há ordem alguma em casa e não estou bem de saúde. Então não fique desgostoso comigo, Makar Aleksêievitch. Que angústia! Ah, o que vai ser isso, meu amigo, meu caro, meu bom Makar Aleksêievitch? Tenho medo de encarar meu futuro. Pressinto algo e vivo como que estonteada.

P.S.: pelo amor de Deus, meu amigo, não esqueça nada do que lhe disse agora. Fico sempre com medo de que se engane em algo. Lembre-se, *tambour,* não ponto cheio.

*V. D.*

*27 de setembro*

Prezada senhorita Varvara Aleksêievna!

Incumbi-me com diligência de todos os seus encargos. Madame Chiffon disse que já tinha mesmo pensado em bordar com *tambour;* que é mais decente, algo assim, não sei bem, não compreendi muito bem. A senhorita ainda escreveu sobre falbalá, e ela também falou de falbalá. Só que esqueci, querida, o que ela me falou do falbalá. Só me lembro de que falou demais; que mulher desagradável! Como foi mesmo? Bem, ela vai lhe dizer tudo em pessoa. Eu, querida, me esfalfei todo. Hoje nem fui para o serviço. Apenas, minha cara, está se desesperando em vão. Pela sua tranquilidade, estou pronto para percorrer todas as lojas. A senhorita escreve que tem medo de encarar o futuro. Pois hoje, às seis horas, saberá de tudo. Madame Chiffon vai à sua casa em pessoa.

Então não se desespere; tenha esperança, querida; quiçá tudo se arranje da melhor forma, é isso. Ah, sim, e só penso nesse maldito fal-ba-lá, arre, esse falbalá, falbalá! Eu queria correr até sua casa, anjinho, correria, correria sem falta; já me aproximei duas vezes do portão da sua casa. Mas sempre esse Býkov, ou seja, quero dizer, esse senhor Býkov é sempre tão zangado, que não dá... Bem, e daí?

*Makar Diévuchkin*

*28 de setembro*

Prezado senhor Makar Aleksêievitch!

Pelo amor de Deus, corra agora ao joalheiro. Diga-lhe que não precisa fazer brincos de pérola e esmeralda. O senhor Býkov diz que é luxuoso demais, que vai custar os olhos da cara. Está zangado; diz que está lhe pesando no bolso, que nós o estamos saqueando, e ontem disse que, se soubesse de antemão o tamanho das despesas, não teria se envolvido. Diz que, assim que nos casarmos, partiremos de imediato, que não haverá convidados e que eu não devo ter esperanças de girar e dançar, que estamos longe de festas. Veja o que diz! E Deus está vendo se eu preciso disso tudo! Foi o senhor Býkov quem encomendou tudo. E não ouso lhe responder nada: ele é muito exaltado. O que será de mim?

*V. D.*

# Fiódor Dostoiévski

*28 de setembro*

Minha pombinha Varvara Aleksêievna!

 Estou, quer dizer, o joalheiro diz que está, bem; a meu respeito, queria dizer inicialmente que adoeci, e não consigo me levantar da cama. Justo agora, que chegou o tempo dos afazeres, em que sou necessário, fiquei resfriado, que o Inimigo o carregue! Também lhe informo que, para cúmulo de minhas desgraças, Sua Excelência permitiu-se ser severo, zangou-se muito com Emelian Ivánovitch e gritou, e por fim se esgotou por inteiro, coitado. Assim, informei-lhe de tudo. Ainda queria lhe escrever algo, mas temo importuná-la. Pois eu, querida, sou um homem estúpido, simples, escrevo o que me dá na telha, então pode ser que talvez haja algo que para a senhorita, ora, mas o quê!

 Seu,

*Makar Diévuchkin*

*29 de setembro*

Varvara Aleksêievna, minha cara!

 Hoje vi Fedora, minha pombinha. Ela diz que a senhorita já se casará amanhã, que vai embora depois de amanhã, e que o senhor Býkov já alugou os cavalos. A respeito de Sua Excelência eu já lhe informei, querida. E mais: verifiquei as contas da loja da Gorókhovaia; está tudo certo, só que é muito caro. Mas por que o senhor Býkov está zangado com a senhorita? Ora, fique feliz, querida! Estou contente; sim, ficarei contente se a senhorita for feliz. Eu iria à igreja, querida, mas não posso, tenho dor nos rins. E volto ao tema das cartas: quem agora irá transmiti-las, querida? Sim! A senhorita fez um grande favor a Fedora, minha cara! Fez uma boa ação, minha amiga; fez muito bem. Uma boa ação! E o Senhor há de agraciá-la por cada boa ação. Boas ações não ficam sem recompensa, e a virtude sempre será coroada pela justiça divina, mais cedo ou mais tarde. Querida! Gostaria de lhe escrever muita coisa, escreveria a cada hora, escreveria a cada minuto, escreveria sempre! Restou-me ainda um livrinho seu, *Contos de Bélkin,* mas sabe, querida, não pegue de volta, dê-me de presente, minha pombinha. Não é que eu esteja com tanta vontade de ler. Mas, querida, a senhorita sabe, o inverno está chegando; as noites serão longas; será triste, daí vou ler. Querida, vou me mudar do meu apartamento para o seu antigo, que alugarei de Fedora. Agora não me separo dessa mulher honrada de jeito nenhum; além disso, é muito trabalhadora. Ontem examinei em detalhes o apartamento que a senhorita deixou. Seus cosedores e os bordados estão lá, como a senhoria os largou, intocados: ficaram em um canto. Examinei seus bordados. Sobraram ainda diversos retalhos. Em uma cartinha minha, a senhorita começou a enrolar uma linha. Na mesinha, encontrei folhinhas de papel, e em um papelzinho estava escrito: "Prezado senhor Makar Aleksêievitch, apresso-me", e só. Pelo visto, alguém a interrompeu no ponto mais interessante. No canto, atrás do tabiquezinho, está a sua caminha... Minha pombinha!!! Bem, adeus, adeus; pelo amor de Deus, dê-me logo alguma resposta a esta cartinha.

*Makar Diévuchkin*

# Fiódor Dostoiévski

*30 de setembro*

Meu inestimável amigo Makar Aleksêievitch!

Está tudo consumado! Minha sorte está lançada; não sei qual será, mas me submeto à vontade do Senhor. Amanhã partimos. Despeço-me do senhor pela última vez, meu inestimável, meu amigo, meu benfeitor, meu caro! Não se aflija comigo, viva feliz, lembre-se de mim, e que a bênção divina baixe no senhor! Hei de me lembrar do senhor com frequência em meus pensamentos, em minhas preces. E assim acabou essa época! Levo para a vida nova poucas recordações agradáveis da passada; quanto mais preciosas forem as lembranças do senhor, mais precioso o senhor será para o meu coração. É o meu único amigo; é o único aqui que me amou. Pois eu vi tudo, pois eu sabia como o senhor me amava! O senhor ficava feliz apenas com um sorriso meu, com uma linha de carta minha. Agora o senhor precisará se desacostumar de mim! Como vai ficar sozinho aqui? Quem lhe restará sozinho aqui, meu bom, inestimável, único amigo? Deixo-lhe o livrinho, os cosedores, a carta inacabada; quando olhar para essas linhas inconclusas, leia em seguida tudo que queria ouvir ou ler de mim, se eu lhe tivesse escrito; e o que não lhe escreveria agora? Lembre-se de sua pobre Várienka, que tanto o amou. Todas as suas cartas ficaram na cômoda de Fedora, na gaveta de cima. O senhor escreve que está doente, e hoje o senhor Býkov não me deixa ir a lugar nenhum. Vou lhe escrever, meu amigo, prometo, porém apenas Deus sabe o que pode suceder. Assim, despeçamo-nos agora para sempre, meu amigo, meu pombinho, meu caro, para sempre!... Oh, como eu agora o abraçaria! Adeus, meu amigo, adeus, adeus. Viva feliz; fique com saúde. Rezarei eternamente pelo senhor. Oh! Como estou triste, como minha alma inteira está esmagada. O senhor Býkov me chama. A que sempre o amará,

V.

P.S.: minha alma está tão repleta, tão repleta agora de lágrimas...
As lágrimas me oprimem, dilaceram-me. Adeus.
Deus! Que triste!
Lembre-se, lembre-se de sua pobre Várienka!


Querida Várienka, minha pombinha, minha inestimável! Estão a levando embora, a senhorita parte! Agora seria melhor arrancarem-me o coração do peito que a senhorita de mim! Como a senhorita faz isso? Está chorando e parte?! Recebi agora sua cartinha, toda embebida em lágrimas. Quer dizer que não tem vontade de partir; quer dizer que está sendo levada à força, quer dizer que tem dó de mim, quer dizer que me ama! Então como, com quem agora a senhorita estará? Lá seu coraçãozinho ficará triste, enojado, frio. A angústia vai sugá-lo, a tristeza vai parti-lo ao meio. Lá a senhorita vai morrer, será alojada na terra úmida; não haverá quem chore pela senhorita lá! O senhor Býkov continuará caçando lebres... Ah, querida, querida! O que a senhorita foi decidir, como pôde decidir-se a uma medida dessas? O que fez, o que fez, o que fez consigo mesma? Pois lá vão conduzi-la ao túmulo; lá vão matá-la, anjinho. Pois a senhorita, querida, é fraquinha como uma pluma! E eu, onde estava? Eu, imbecil, fiquei olhando o quê? Vi que a criança estava com caprichos, a criança simplesmente estava com dor de cabeça! Era tudo muito simples, mas não, imbecil dos imbecis, não pensei em nada, não vi nada, como se estivesse certo, como se a coisa não tivesse a ver comigo; e ainda corri atrás de falbalá!... Não, Várienka, vou me levantar; talvez amanhã esteja curado, daí vou me levantar!... Querida, vou me jogar embaixo da roda; não vou deixá-la partir! Ah, não, de fato, o que é isso? Com que direito tudo isso está sendo feito? Vou com a senhorita; se não me levar junto, vou correr atrás da sua carruagem e vou correr enquanto tiver forças, enquanto não perder o fôlego. Mas a senhorita pelo menos sabe o que é, para onde está indo, querida? Talvez não saiba, então me pergunte! É a estepe, minha cara, a estepe nua; nua como a palma da minha mão! Lá grassam a camponesa insensível e o mujique sem instrução, lá grassa o bêbado. Lá agora as folhas caem das árvores, há chuva, está frio, e a senhorita está indo para lá! Bem, o senhor Býkov tem uma ocupação lá: estará com as lebres; e a senhorita? Quer virar fazendeira, querida? Ora, meu querubinzinho! Olhe para si mesma, parece fazendeira?... Como pode ser isso, Várienka? A quem vou escrever, querida? Sim! Leve isso em consideração, querida, diga: a quem agora ele vai escrever? Quem vou chamar de querida; a quem darei esse nome amado? Onde vou encontrá-la depois, meu anjinho? Morrerei, Várienka, morrerei sem falta; meu coração não suportará uma desgraça dessas! Eu a amei como a luz do Senhor, amei como uma filha legítima, amei tudo na senhorita, querida, minha cara! E só vivi pela senhorita! Eu trabalhava, escrevia papéis, caminhava, passeava, transmitia minhas observações ao papel na forma de cartas amistosas, tudo isso, querida, porque a senhorita estava aqui, morava de frente, perto. Talvez a senhorita não soubesse, mas era exatamente assim! Sim, ouça, querida, julgue, minha pequena pombinha, como pode ser que a senhorita vá embora? Minha cara, não há como a senhorita ir, é impossível; simplesmente, decididamente, não há nenhuma possibilidade! Afinal, está chovendo, a senhorita é fraquinha, vai se resfriar. Sua carruagem vai ficar ensopada; ficará ensopada sem falta. Assim que passar pela barreira, ela vai quebrar; vai quebrar de propósito. Afinal, aqui em São Petersburgo fazem umas carruagens medonhas! Conheço todos esses fabricantes de carroça; sabem fabricar uns modelitos, uns brinquedinhos, mas são frágeis! Juro que fazem coisas frágeis! Eu, querida, vou me prostrar de joelhos diante do senhor Býkov; vou lhe mostrar, vou lhe mostrar tudo! E a senhorita, querida, também mostrará; mostre-lhe com a razão! Diga que fica e que não pode ir!... Ah, por que ele não se casou em Moscou com a mercadora? A mercadora é melhor para ele, bem melhor; e eu sei por quê! E eu a teria mantido aqui, comigo. E o que ele é para a senhorita, querida, esse Býkov? Como de repente ele virou seu querido? Talvez porque ele fica lhe comprando falbalá o tempo todo, pode ser por causa disso! Mas o que é falbalá? Para que falbalá? É uma bobagem! Aqui a questão é a vida humana, e é um trapo o falbalá; esse falbalá, querida, é um trapinho. Eu mesmo, assim que receber o salário, compro-lhe falbalá; compro-lhe, querida; tenho até uma lojinha conhecida; basta eu chegar a receber o salário, Várienka, meu querubinzinho! Ah, Senhor, Senhor! Então a senhorita vai impreterivelmente para a estepe com o senhor Býkov, parte para não voltar! Ah, querida!... Não, escreva-me ainda, ainda me escreva uma cartinha, a respeito de tudo, e quando for embora, também me escreva de lá. Senão, anjo celestial, essa será a última carta; e essa carta não pode ser, de jeito nenhum, a última. Como assim, tão de repente, exatamente, impreterivelmente, a última? Mas não, vou escrever, e a senhorita também escreva... Meu estilo agora está se formando... Ah, minha cara, que estilo? Pois agora nem sei o que escrevo, não sei de jeito nenhum, não sei nada, não releio, não corrijo o estilo, escrevo só por escrever, para lhe escrever mais... Minha pombinha, minha cara, minha querida!